Abschlusskurs

Kursbuch + Arbeitsbuch
Lektion 1–5

Michaela Perlmann-Balme
Susanne Schwalb
Dörte Weers

Hueber Verlag

7. 6. 5. | Die letzten Ziffern
2020 19 18 17 16 | bezeichnen Zahl und Jahr des Druckes.
Alle Drucke dieser Auflage können, da unverändert,
nebeneinander benutzt werden.
1. Auflage

Verlagsredaktion: Maria Koettgen, Dörte Weers, Thomas Stark, Hueber Verlag, Ismaning
Layout: Marlene Kern, München
Zeichnungen: Martin Guhl, Cartoon-Caricature-Center, München
Druck und Bindung: Firmengruppe appl, aprinta druck GmbH, Wemding
Printed in Germany
ISBN 978-3-19-541697-9

Art. 530_00798_001_05

INHALT KURSBUCH

INHALT ARBEITSBUCH

LEKTION 1 — AB 7–18

LEKTION 2 — AB 19–28

LEKTION 3 — AB 29–40

LEKTION 4 — AB 41–50

INHALT ARBEITSBUCH

KURSPROGRAMM

VORWORT

Liebe Leserin, lieber Leser,

in den vergangenen Jahren haben viele erwachsene Lernende weltweit ihre Deutschkenntnisse mit dem Lehrwerk *em Abschlusskurs* ausgebaut. Dieses Lehrwerk eignet sich für Lernende, die die Prüfung zu einem der B2-Zertifikate bestanden haben oder sich außerhalb eines Kurses vergleichbare Sprachkenntnisse erworben haben.

Wenn Sie alle Lektionen in Kurs- und Arbeitsbuch erfolgreich durcharbeiten, können Sie am Ende eines Kurses das Niveau C1 erreichen, das im *Gemeinsamen europäischen Referenzrahmen* für Sprachen als die fünfte von sechs Stufen beschrieben ist.

Um Ihre Chancen bei einer Stellenbewerbung bzw. für eine Bewerbung um einen Studienplatz zu steigern, können Sie sich diese sehr hohe Kompetenz durch eines der folgenden Zertifikate bestätigen lassen:
- an Goethe-Instituten: *Goethe-Zertifikat C1*
- für Studienplatzbewerber: *TestDaF*
- für Erwachsene an Volkshochschulen und anderen Einrichtungen der Erwachsenenbildung: *telc C1* oder *ÖSD C1 Mittelstufe Deutsch.*

Das flexible Baukastensystem von *em* erlaubt es Ihnen, in einem Kurs ein Lernprogramm zusammenzustellen, das auf Ihre Bedürfnisse abgestimmt ist. Mit *em* werden die vier Fertigkeiten - Lesen, Hören, Schreiben und Sprechen - systematisch trainiert. Dabei gehen wir von der lebendigen Sprache aus. Das breite Spektrum an Texten, das Sie im Inhaltsverzeichnis aufgelistet finden, spiegelt die aktuelle Realität außerhalb des Klassenzimmers wider, für die wir Sie fit machen wollen. Sie begegnen Werken der deutschsprachigen Literatur ebenso wie Texten aus der Presse und dem Rundfunk oder der Fachliteratur. Auch beim Sprechen und Schreiben haben wir darauf geachtet, dass Sie mit praxisorientierten Anlässen sprachlich agieren lernen. Sie können Strategien bei einem Beratungsgespräch ebenso üben wie ein geschäftliches Telefonat.

Unser Grammatikprogramm stellt Ihnen bereits Bekanntes und Neues im Zusammenhang dar. So können Sie Ihr sprachliches Wissen systematisch ausbauen. Auf den letzten Seiten jeder Lektion ist der Grammatikstoff übersichtlich zusammengestellt.

Viel Spaß beim Lesen, Lernen und Durcharbeiten wünschen Ihnen

Michaela Perlmann-Balme
Susanne Schwalb
Dörte Weers

Zur Person

Alter: *geboren 1972*

Familienstand: *verheiratet*

Außerberufliches: ... *unter meinen zahlreichen Hobbys: Landschaftsgärten erwandern und studieren.*

1

Ich beginne meinen Tag ...
am liebsten mit Kaffee (darin viel Milch), einer Tageszeitung und feiner barocker Musik.
Meine besten Einfälle habe ich ...
auf dem Fahrrad oder abends kurz vor dem Schlafen.
Wenn ich einen Rat brauche, ...
frage ich meine Familie und einige ältere, erfahrene Kollegen.
Am meisten ärgere ich mich, ...
wenn ich selbst etwas übersehen habe oder mir nicht genügend Zeit für etwas genommen habe.
Das nächste Buch, das ich lesen will, ...
wähle ich in der Regel spontan aus und lese es dann in einem Zug durch.
Den nächsten Film, den ich sehen will, ...
lasse ich mir von Freunden empfehlen.
Wenn ich das Fernsehen anschalte, ...
sage ich zu meiner Familie: „Ich muss jetzt noch ein paar bunte Bilder sehen."
Mehr bietet die Mattscheibe meist nicht für mich.
Wenn ich mehr Zeit hätte, ...
würde ich wieder Querflöte üben.
Mit einer unverhofften Million würde ich ...
erst mal ein Konto eröffnen und mir dann in Ruhe überlegen, was damit sinnvoll anzufangen ist.
Wenn ich Politiker wäre, ...
wäre ich wahrscheinlich auch nicht einfallsreicher als die, die wir zurzeit haben.

1 **Kennenlernen: Interview**

Stellen Sie jemandem aus Ihrem Kurs fünf Fragen zu den oben genannten Themen und notieren Sie die Antworten.

2 **Gemeinsamkeiten finden**

Stellen Sie nun einer anderen Person aus dem Kurs dieselben Fragen.

3 **Vorstellung**

Stellen Sie Ihre Gesprächspartner/innen im Plenum vor.
Nennen Sie Gemeinsamkeiten, die Sie gefunden haben.

1 Nachrichten

Welche Medien nutzen Sie? Wie oft pro Woche?

	0	1-2	3-5	>5
Tageszeitung	☐	☐	☐	☐
Radio	☐	☐	☐	☐
Fernsehen	☐	☐	☐	☐
Internet	☐	☐	☐	☐

Welche Vor- und Nachteile haben diese Medien?

2 Lesen Sie die folgenden Zeitungsmeldungen.

Nachrichten aus aller Welt

Hamburg (AP) – Lachen ist gesund, das haben wissenschaftliche Untersuchungen von Gelotologen („Lachforscher“) jetzt laut einem Bericht der Zeitschrift „Men's Health“ ergeben. Die Atemtiefe nehme zu, verspannte Muskeln lockerten sich, der Organismus schütte körpereigene Opiate aus und baue schädliche Stresshormone ab. Nach Aussage des Neurologen William Fry ist Lachen aber gleichzeitig auch ein „inneres Joggen“. Deshalb soll gezielt nach Situationen gesucht werden, die Spaß machen.

Ottawa (dpa) – Der mit 117 Jahren älteste Mensch der Welt, die Kanadierin Marie Louise Febronie Meilleur, ist tot. Wie die 78-jährige Tochter Olive Therrien mitteilte, sei ihre Mutter friedlich entschlafen. Das Geheimnis für das lange Leben ihrer Mutter sei ständige Arbeit gewesen, sagte ihre Tochter Rita Gutzmann (72). „Sie meinte immer, hart arbeiten bringt niemanden um.“ Frau Meilleur lebte zuletzt in einem Pflegeheim in Quebec.

London (AFP) – Kinder im Alter von zehn bis 16 Jahren sind in der britischen Hauptstadt London für 40 Prozent der Taschendiebstähle und Autoaufbrüche verantwortlich. Dies berichtet der „Guardian“ unter Berufung auf eine Untersuchung der Londoner Polizei. Der Großteil der Delikte werde dieser Untersuchung zufolge zur Schulzeit verübt. Die Statistik von 500 Verhören weise aus, dass 21 Prozent der jungen Diebe ihren Namen oder ihre Adresse nicht fehlerfrei schreiben könnten. Die Hälfte der befragten Jugendlichen habe Schwierigkeiten, die Uhr zu lesen oder die Wochentage oder Monate des Jahres in der korrekten Reihenfolge aufzuzählen.

Wien (dpa) – Eine österreichische Fotohandelskette verspricht ihren Kunden einen Rabatt von 20 Prozent auf die Weihnachtseinkäufe, wenn es an Heiligabend schneit. Der Werbegag kann Firmeninhaber Franz Josef Hartlauer bis zu 2,2 Millionen Euro kosten. Das bestätigte ein Unternehmenssprecher. Kunden, die zwischen dem 29. November und dem 13. Dezember in einer der 110 Filialen einkaufen, erhalten 20 Prozent der Einkaufssumme zurück, wenn es am 24. Dezember um zwölf Uhr schneit. Gegen das Risiko aus dem „Schnee-Lotto“ habe sich der Firmenchef bei einer britischen Versicherung versichern lassen.

Barcelona (dpa) – Für einen Hund gibt es in Spanien nach der Ehescheidung keine Besuchsregelung. Ein Gericht in Barcelona lehnte den Antrag eines Mannes ab, der nach der Trennung von seiner Frau das gemeinsame Tier regelmäßig ausführen wollte. Der Golden Retriever Yako war bei der Scheidung des Paares der Frau zugesprochen worden. Der Mann zog daraufhin vor Gericht und verlangte, das Tier sehen zu dürfen. Ein Richter sprach dem Mann im ersten Urteil dieser Art in der spanischen Justizgeschichte zunächst ein Besuchsrecht zu. Die zweite Instanz revidierte diese Entscheidung jedoch, weil ein Haustier mit einem Kind nicht auf dieselbe Stufe gestellt werden darf, so die Richter.

Neu Delhi (dpa) – Bimbala Das, Inderin aus dem ostindischen Bundesstaat Orissa, hat sich in eine Kobra verliebt und die Schlange geheiratet. „Obwohl Schlangen weder sprechen noch verstehen können, kommunizieren sie auf eine besondere Art“, sagte die Dreißigjährige der Nachrichtenagentur PTI. Das Reptil habe ihr noch nie wehgetan. Da der Bräutigam bei der Hochzeit nicht zu den Feierlichkeiten erschien, wurde er durch eine Nachbildung aus Messing vertreten. Hochzeiten zwischen Menschen und anderen Lebewesen kommen in Indien öfter vor. Nach Überzeugung abergläubischer Dorfbewohner wird mit den Hochzeiten Unglück abgewehrt.

3 Themengebiete

Welche Meldung passt wozu? Nicht alle Kategorien passen.

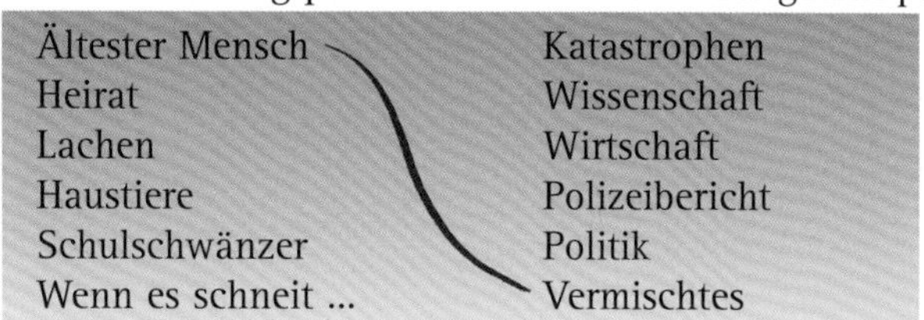

4 Selektives Lesen – sieben Personen suchen einen Text.

Lesen Sie die Aufgabe und danach die Texte noch einmal so genau, wie es für das Lösen der Aufgabe nötig ist.
Welche der folgenden Personen interessiert sich wohl für welche Meldung am meisten? Begründen Sie Ihre Wahl. Es ist möglich, dass es nicht für jede Person einen passenden Text gibt.

Person	Meldung	Begründung
a Alex Schmidt ist Hauptschullehrer und ist besorgt über die zunehmende Kriminalität.	„London“	Diebstähle usw. von Jugendlichen
b Heike Müller ist Herausgeberin einer Modezeitschrift und plant einen Sonderteil „Leben im hohen Alter“.		
c Angelika Hausmann ist Marketingleiterin in einer Kosmetikfirma.		
d Herbert Elfert arbeitet beim Gesundheitsamt im Bereich „Präventive Medizin“.		
e Eva Kirchner hat sich gerade von ihrem Lebenspartner getrennt und streitet sich noch mit ihm darüber, wo der gemeinsame Kater „Puss“ leben soll.		
f Else Langwald ist freie Autorin und schreibt Reiseführer.		
g Andreas Westermann studiert Jura im fünften Semester.		

AB 8 3

GR 5 Indirekte Rede

GR S. 18

a Bilden Sie Gruppen und unterstreichen Sie alle Verben in jeweils einem der Texte.

b Ordnen Sie die Verben in das folgende Schema.

Indikativ	Konjunktiv I / Konjunktiv II
Lachen ist gesund	Die Atemtiefe nehme zu

AB 9 4–5

c Welche Funktion haben die Verben im Konjunktiv in diesen Texten?

- ☐ Ausdruck eines Wunsches
- ☐ Redewiedergabe
- ☐ wörtliche Rede

d Welches Verb steht im Konjunktiv II? Warum?

1 Verben der Redewiedergabe

a Unterstreichen Sie in den Meldungen auf Seite 10 alle Variationen des Verbs *sagen*.

b Ergänzen Sie die Liste.

Meldungen	Verb
Ottawa	mitteilte

c Warum tauchen solche Verben in Nachrichten und Meldungen häufig auf?

AB 10 6

GR 2 Redewiedergabe

GR S. 18

a Suchen Sie in den ersten drei Texten auf Seite 10 Ausdrücke der Redewiedergabe. Beispiel: laut einem Bericht *der Zeitschrift ...*

b Ergänzen Sie im Kasten unten die fehlenden Nomen und Verben.

c Bilden Sie jeweils einen Beispielsatz mit *nach, laut, zufolge* + Nomen sowie einen Satz mit *wie*.

Nomen	Verb	Beispiel mit *nach, laut, zufolge*	Nebensatz mit *wie*
Aussage	aussagen	Nach Aussage des Neurologen ist Lachen aber gleichzeitig auch ein „inneres Joggen".	Wie der Neurologe aussagte, ist Lachen auch ein ...
	berichten		
die Mitteilung			
	erklären		
die Bestätigung			
	melden		

AB 10 7–8

3 Definitionen

a Ordnen Sie den Textsorten die Definitionen zu.

b Unterstreichen Sie alle Verben und ergänzen Sie passende Nomen.

Textsorten der Presse	Definition	Nomen
das Interview	informiert knapp über das aktuelle Tagesgeschehen, wird meist über spezielle Agenturen verbreitet, z.B. Reuters, Deutsche Presseagentur (dpa)	
die Buchbesprechung	berichtet breit und ausführlich, ist angereichert mit subjektiven Eindrücken, Stimmungsbildern u. Ä.	
der Kommentar	beurteilt ein literarisches oder wissenschaftliches Werk	die Beurteilung
die Glosse	ist ein aufgezeichnetes Gespräch zwischen einem Journalisten und einem Partner	
die Kritik	gibt die Meinung eines Journalisten wieder, z.B. zu politischen oder gesellschaftlichen Ereignissen	
die Meldung/Nachricht	fasst den Inhalt zusammen und resümiert das Urteil eines Journalisten über einen Film, ein Konzert, ein Theaterstück, eine Oper usw.	
die Reportage	kommentiert in ironischer oder polemischer Weise	

AB 11 9

1 **Sehen Sie sich die Bilder an.**

Bilden Sie Gruppen und suchen Sie sich das Bild aus, das Sie interessanter finden.

AB 12 10

2 **Zeitungsmeldung erfinden**

Erfinden Sie eine passende Meldung zu einem der Fotos und schreiben Sie diese auf. Arbeiten Sie in Schritten.

Schritt 1 Notieren Sie zunächst Ihre „Fakten" in diesem Raster.

Wer?	
Wo?	
Was?	
Wann?	

Schritt 2 Formulieren Sie Ihren Text aus. Schreiben Sie maximal 100 Wörter. Verwenden Sie als Muster die folgende Meldung.

FRANCISCO GREGORI, brasilianischer Chirurg, hat nach eigenen Angaben mit Alleskleber ein kleines Loch im Herz einer Rentnerin zugestopft. „Wir haben eine Stunde lang versucht, das Loch zuzunähen", sagte der Arzt gut ein Jahr nach der Operation im Krankenhaus von Londrina. „Da fiel mir plötzlich ein, dass Kinder sich mit dem Kleber immer die Finger zusammenkleben". Er spreche jetzt nur darüber, weil alles gut gelaufen sei. Der Rentnerin gehe es heute nach eigener Aussage „blendend".

AB 12 11

3 **Präsentation**

Jede Gruppe liest ihre Meldung vor. Welche ist am interessantesten?

AB 12 12

1 Informationen aus mehreren Texten zusammentragen

Welche Aussagen in den Texten A bis D passen zu den Themenschwerpunkten 1–5 im Raster?
Ergänzen Sie. Nicht jeder Text enthält Informationen zu allen Punkten.

	Text A	Text B	Text C	Text D
0 Beispiel: Bärenmütter können Menschen angreifen	Von einer Braunbärin mit Jungem angefallen	können sie in Begleitung von Jungtieren gefährlich werden	—	—
1 frei lebende Bären in den Alpen				
2 Sympathie für Problembär Bruno				
3 Kampf für bedrohte Tierarten				
4 lange Jagd auf einen Bären				
5 gefährlicher Bär erschossen				

1

P 2 Lesen Sie die vier Texte zum Thema: „Bären in Europa"

Text A

Jogger von Braunbär getötet

Erstmals in diesem Jahrhundert ist im Jahr 2001 in Nordeuropa wieder ein Mensch von einem Braunbären getötet worden. Ein 42 Jahre alter Mann ist beim Joggen im Wald von einer Braunbärin angefallen worden. Vermutlich hatte der Schutzinstinkt des Muttertiers sein aggressives Verhalten gegenüber dem Jogger ausgelöst. Zeitungen berichten, die Bärin sei samt ihrem Jungen noch am selben Tag nach einer groß angelegten Suchaktion von Hubschraubern aus erlegt worden.

Text B

Mit dem Fortschritt kommt der Tod

Er gilt als furchtlos, als majestätisch, als Tier, das Fahnen und Wappen schmücken darf. Doch der europäische Braunbär, nach dem Eisbär das größte Raubtier auf dem Kontinent, gibt in Europa schon lange nicht mehr den Ton an. Noch vor 300 Jahren waren die pelzigen Tiere in ganz Europa anzutreffen, jetzt ist der Braunbär in Westeuropa nur noch sehr spärlich beheimatet. Einzelne Populationen sind in den Pyrenäen, in den österreichischen Alpen und im italienischen Apennin anzutreffen. In Deutschland gilt der Braunbär seit etwa 1835 als ausgestorben. Wesentlich häufiger sind die sanften Räuber im Norden und Osten Europas, meist fern größerer Ansiedlungen sogar in größeren Gruppen anzutreffen. Auch wenn sie oft als Furcht einflößend dargestellt werden, sind Bären eigentlich scheu. Werden sie allerdings überrascht, können sie – vor allem in Begleitung von Jungtieren – Menschen gefährlich werden.
In Europa trägt neben der Jagd vor allem die Zerstörung des Lebensraumes der Bären zur Ausrottung bei. In manchen Kulturen gelten Bärentatzen als Delikatesse oder werden der Gesundheit zuliebe verspeist. Doch es gibt Hoffnungsschimmer: In Österreich gelang es im Rahmen eines mehrjährigen Projekts, die zotteligen Gesellen wieder anzusiedeln – unterstützt von den lokalen Bauern. Nach Angaben des WWF leben in der Alpenrepublik derzeit rund 30 Bären.

Text C

Der Problembär entpuppt sich als Schlaubär

Und wieder ist er entwischt: Seit Wochen führt Braunbär „JJ1", von einigen auch „Bruno" genannt, Behörden und Verfolger an der Nase herum – und gewinnt immer mehr Sympathien. Im Internet werden Solidaritäts-T-Shirts angeboten, internationale Medien bis hin zur renommierten „New York Times"
5 verfolgen seine Eskapaden. In deutschsprachigen Zeitungen ist der zweijährige Streuner aus Italien mit der Vorliebe für alpenländische Ferienorte vielfach kein „Problembär" mehr, sondern ein „Schlaubär" oder gar „Braunbär Bruno Superstar". Am Mittwoch entkam er finnischen Bärenjägern und ihren Hunden in der Nähe des Achensees in Tirol knapp, gestern ging die Suche weiter.
10 Obwohl der Bär einer Urlauberin aus Hamburg einen gehörigen Schreck einjagte, lassen sich Touristen von dem zotteligen Tier nicht abschrecken.

Text D

Empörung über Brunos Tod

Mit Bestürzung und scharfer Kritik ist der Abschuss von Braunbär Bruno bei Natur- und Tierschützern aufgenommen worden. „Das ist die dümmste aller Lösungen", sagte der Präsident des Deutschen Naturschutzrings. „Ich bin tieftraurig darüber." Auf internationaler Ebene kämpfe man für den Schutz bedroh-
5 ter Arten, schaffe es aber nicht, mit dem ersten Bären in Deutschland klarzukommen.

Bruno war von drei Jägern in Absprache mit dem bayerischen Umweltministerium gezielt erlegt worden. Der Bär habe sich am Sonntagabend dem Rotwandhaus am Schliersee genähert und die Bewohner hätten die Polizei alarmiert. Dar-
10 auf sei ein Team von drei Jägern „hochgegangen und hat um 4.50 Uhr den Bären aus 150 Meter Entfernung mit einem einzigen Schuss schmerzlos erlegt", sagte der Umweltstaatssekretär.

Aus Sicht des Artenschutzes sei das außerordentlich bedauerlich, aber nach zwei Wochen intensiver Fangbemühungen der finnischen Experten habe es aus
15 Sicherheitsgründen keine Alternative mehr gegeben. Der Expertenrat des österreichischen Bärenmanagements, der sich um die 20 bis 30 frei lebenden Bären in Österreich kümmere, „ist ganz eindeutig zu dem Ergebnis gekommen, dass der Abschuss dieses Bären die einzig richtige Lösung ist", sagte der Tiroler Landesrat Anton Steixner. Das sei ein Sonderling gewesen, der mindestens elf Mal
20 in Siedlungen eingedrungen sei, keine Scheu vor Menschen gezeigt und in wenigen Wochen 35 Schafe gerissen habe.

AB 13 13

GR 3 **Die Präpositionen *samt, fern, zuliebe***

a Unterstreichen Sie in den Texten A und B diese Präpositionen. Welchen Kasus haben die Präpositionen?

b Bilden Sie Sätze mit: *Heimat, der Bär Bruno, Geschwister, Artgenossen, touristische Gebiete, Umwelt, Kleidung, ...*

Beispiel: *Samt seinen Geschwistern und deren Familien unternahm er eine Wanderung in den österreichischen Alpen.*

AB 14 14

SPRECHEN

1

Präsentation eines Zeitungsartikels

Suchen Sie aus einer aktuellen Tageszeitung, einer Zeitschrift oder aus dem Internet einen interessanten Artikel, den Sie im Kurs präsentieren wollen.

2

Vorbereitung einer Präsentation

Erstellen Sie anhand der Fragen a–g ein Redemanuskript für Ihre Präsentation.
Schreiben Sie sich die Antworten für jede der Fragen a–g als Stichworte auf ein separates Kärtchen.

(a) Aus welcher Publikation (Tageszeitung/Zeitschrift/Magazin/Fachzeitschrift) stammt der Artikel?

(b) Zu welcher Rubrik gehört er?

(c) Geben Sie eine kurze Zusammenfassung des Inhalts.
Verwenden Sie dabei typische Ausdrucksweisen der Nachrichtensprache.

Beispiele:

Ausdruck des Referierens	*Wie die 78-jährige Tochter mitteilte, ...*
Verben der Redewiedergabe	*Nach Aussage des Neurologen*
Zitat	*„inneres Joggen“*
Indirekte Rede	*Die Statistik weise aus, dass 21 Prozent der jungen Diebe ihren Namen nicht fehlerfrei schreiben könnten.*
Vergangenheit	*Das haben wissenschaftliche Untersuchungen ergeben.*

(d) Welche Fragestellung/Problematik wirft der Artikel auf?

(e) Welche eigenen Erfahrungen haben Sie damit?

(f) Nennen Sie Argumente für und gegen die dargestellte Meinung.

(g) Wie ist Ihre eigene Meinung?

3

Wortschatz

Suchen Sie fünf bis acht für Sie neue und wichtige Wörter heraus, die Sie in Ihren Lernwortschatz aufnehmen wollen, und erklären Sie diese.

P 4

Präsentation des Artikels

(a) Bringen Sie die Publikation möglichst mit und zeigen Sie Ihren Zuhörern etwas, z.B. ein Foto.

(b) Benutzen Sie die vorbereiteten Kärtchen der Reihe nach nur als „Stütze“. Versuchen Sie, möglichst frei zu sprechen.

AB 14 15

HÖREN

1 Fernsehen

(a) Welche Art von Sendung sehen Sie gerne?

Nachrichten – Dokumentarfilme – Fernsehfilme – Komödien – Kriminalfilme/Krimis – Reportagen – Spielfilme – Thriller – Zeichentrickfilme/Comics

(b) Wie oft sehen Sie fern? Wie lange? Zu welcher Tageszeit?

(c) Wie informieren Sie sich über das Fernsehprogramm?

☐ durch andere Leute ☐ durch das Fernsehen ☐ durch das Radio
☐ durch eine Fernsehzeitschrift ☐ durch eine Tageszeitung

2 Hören Sie Radiotipps für den Fernsehabend.

CD | 1–4

(a) Wie werden die vier Spielfilme charakterisiert?

(b) Ordnen Sie die „Untertitel“ den vier Filmen zu:
Psychogramm eines Serienmörders – kunstvoller Film über den Balkan – exotisches Melodrama – Drama über den DDR-Terror

Spielfilm	eher witzig/ ironisch	eher ernst	Untertitel
Das Leben der Anderen			
Der Blick des Odysseus			
Die weiße Massai			
Der Totmacher			

3 Selektiv Informationen entnehmen

CD | 1–4

Lesen Sie zuerst die Stichworte unten. Hören Sie dann die Texte noch einmal. Notieren Sie während des Hörens, welche Informationen der Radiojournalist zu den einzelnen Sendungen gibt.

Titel	Das Leben der Anderen	Der Blick des Odysseus	Die weiße Massai	Der Tot-macher
Regisseur	Henckel von Donnersmarck	Angelopoulos	Hunthgeburth	Karmakar
Sender				
Zeit				
Ort der Handlung				
Urteil*				

* sehr positiv - positiv – negativ – teils positiv/teils negativ – kein Urteil

4 Merkmale von Fernsehtipps

(a) Welche der folgenden typischen Merkmale einer Nachricht finden Sie auch bei den Fernsehtipps? Kreuzen Sie an.

☐ Angaben: z.B. Orts- und Herkunftsangaben ☐ Quellenangaben
☐ Ausdrücke des Referierens ☐ Verben der Redewiedergabe
☐ unpersönliche Ausdrucksweise ☐ Zitate

(b) Was finden Sie bei den Fernsehtipps außerdem noch?

AB 15 16

1 Präpositionale Ausdrücke zur Einleitung einer Redewiedergabe

Präposition + Dativ		
vorangestellt	nachgestellt	Beispiel
laut		*laut einem Bericht des Polizeisprechers*
gemäß	gemäß	*gemäß unserer Vereinbarung / seinem Wesen gemäß*
nach	nach	*nach eigenen Angaben / seiner Ansicht nach*
	zufolge	*dem Bericht zufolge*

weitere vorangestellte Präpositionen:
aus Liebe, rot vor Wut, fern größeren Ansiedlungen, samt ihrer Jungen;
weitere nachgestellte: *der Gesundheit zuliebe*

2 Variation: Präposition oder Nebensatz mit „wie"

Präposition	Nebensatz mit „wie“
Laut einem Bericht der Polizei sind die jugendlichen Täter häufig lernschwach.	*Wie die Polizei berichtete, sind die jugendlichen Täter häufig lernschwach.*
Gemäß einer Vereinbarung muss die Versicherung zahlen, falls es schneit.	*Wie vereinbart wurde, muss die Versicherung zahlen, falls es schneit.*

1

3 Formen der Redewiedergabe

ÜG S. 128

(a) Direkte Rede: gekennzeichnet durch einen Doppelpunkt und Anführungszeichen. Man verwendet den Indikativ.

(b) Indirekte Rede: gekennzeichnet durch eine Einleitung, z. B. *Sie meinte ...*
Man verwendet den Konjunktiv I bei
- der 3. Person Singular. Beispiele: *er habe, sie gehe*
- Modalverben in der 1. und 3. Person Singular. Beispiele: *ich/er könne, ich/sie müsse*
- dem Verb *sein*. Beispiele: *ich/es sei, du seiest, wir/sie seien*

Sonst wird der Konjunktiv II verwendet.

Direkte Rede	Indirekte Rede
„Sie meinte immer, arbeiten bringt niemanden um“, sagte ihre Tochter.	*Sie habe immer gemeint, arbeiten bringe niemanden um, sagte ihre Tochter.*
Die Londoner Polizei stellte fest: „Die Statistik weist aus, dass 21 Prozent der jungen Diebe ihren Namen nicht fehlerfrei schreiben können.“	*Die Statistik weise aus, dass 21 Prozent der jungen Diebe ihren Namen nicht fehlerfrei schreiben könnten.*

4 Gebrauch des Konjunktivs I

(a) Wird in der Schriftsprache eingesetzt,
- wenn man die Worte oder die Meinung anderer indirekt zitiert; wird vor allem in den Medien verwendet, z.B. in Nachrichten, Berichten usw.
  Beispiel: *Er könne keine Garantie dafür abgeben, dass seine Liebe für Eva das ganze Leben halte, erklärte der 41 Jahre alte Bräutigam.*
- wenn man sich vom Gesagten distanzieren will.
  Beispiel: *Der Chirurg behauptete, seiner Patientin gehe es heute blendend.* (Aber wir können das nicht glauben.)

(b) In der **gesprochenen** (Umgangs-)Sprache vermeidet man den Konjunktiv I und verwendet stattdessen häufig einen Nebensatz im Indikativ.
Beispiel: *Der Chirurg hat behauptet, dass es seiner Patientin heute blendend geht.*

FINANZEN

2

1 In welcher Situation befindet sich Ihrer Meinung nach die abgebildete Person?

Entweder hat die Frau ein Problem mit … oder sie …
Möglicherweise braucht sie …, hat aber weder … noch …
Es könnte sich bei der Person sowohl um … handeln als auch um …

2 An wen könnte sie sich wenden?

Die Frau findet eventuell Hilfe bei …
Ich würde ihr empfehlen, zu einer/einem … zu gehen.
Wenn ich diese Frau wäre, würde ich bei … Rat einholen.

1 Monatliche Ausgaben – wofür?

a Nennen Sie sieben bis zehn Dinge, für die Sie jeden Monat einen festen Teil Ihres Einkommens bzw. des Geldes, das Sie zur Verfügung haben, ausgeben.

b Ordnen Sie die Ausgaben der Größe nach.

Am meisten brauche ich jeden Monat für ...
An zweiter Stelle steht ...
Außerdem verwende ich circa ...% meines Einkommens für ...
Ein weiterer Kostenfaktor ist ...
Für ... brauche ich ungefähr ...
Nicht so viel Geld gebe ich für ... aus.
...

2 Schätzen Sie und ordnen Sie zu.

Wofür gibt eine deutsche Durchschnittsfamilie monatlich ihr Geld aus?

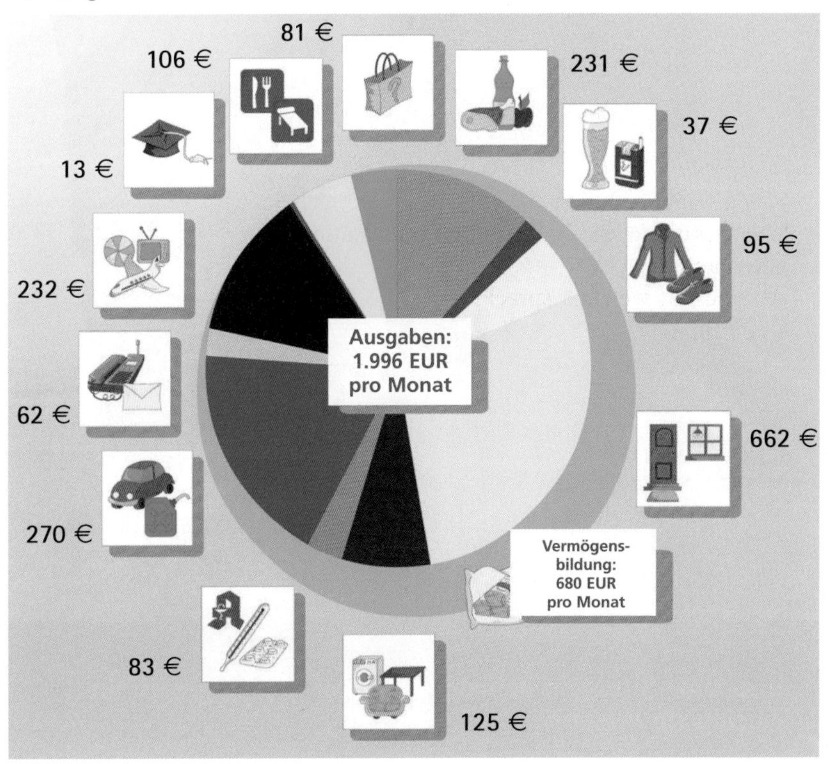

Bekleidung und Schuhe – Bildungswesen – Freizeit, Unterhaltung und Kultur – Gesundheitspflege – Haushaltsausstattung – Nahrungsmittel und alkoholfreie Getränke – Nachrichtenübermittlung (Telefon, E-Mail, ...) – Wohnen und Energie – Unterkunft und Verpflegung auf Reisen – Verkehr – alkoholische Getränke und Zigaretten – andere Waren und Dienstleistungen – Rest, zum Teil für Vermögensbildung und Vorsorge

3 Vergleichen Sie.

Wo stellen Sie Übereinstimmungen fest, wo Unterschiede zu Ihren eigenen Ausgaben bzw. denen Ihrer Landsleute?

AB 20 2

SCHREIBEN 1

P 1

Lebenshaltungskosten international

Für eine Recherche zu den Lebenshaltungskosten sollen Sie die Verhältnisse in Ihrem Heimatland mit denen in Deutschland vergleichen. Verfassen Sie dazu einen informativen Text, der beispielsweise in einer Kurszeitung erscheinen kann.
Gehen Sie in folgenden Schritten vor:

Schritt 1

Sammeln Sie Stichworte

a Stellen Sie dar, welche wichtigen Informationen die Grafik auf S. 20 enthält.

b Welche Kosten erscheinen Ihnen eher hoch, welche eher gering?

c Welche Gemeinsamkeiten stellen Sie zu den Ausgaben einer Familie in Ihrem Heimatland fest?

d In welchen Punkten unterscheiden sich die Ausgaben einer Durchschnittsfamilie in Ihrer Heimat stark?

e Wie aussagekräftig ist für Sie eine solche Statistik?

Schritt 2

Aufbau und Gliederung

Überlegen Sie:
Welche Inhaltspunkte stelle ich sinnvoll nacheinander?
Wie verknüpfe ich die einzelnen Informationen und Argumente logisch miteinander?
Wo und mit welchen sprachlichen Mitteln drücke ich meine eigene Meinung aus?

2

Schritt 3

Ausformulieren

Welche Satzanfänge bzw. Redemittel passen zu welcher Frage in Schritt 1?

Redemittel	Frage
Im Vergleich zu ... kann man feststellen, ...	*d*
Aus dem Schaubild geht hervor, ...	
Ähnlich verhält es sich ... bei den Ausgaben/Kosten für ...	
Außerdem ist hier dargestellt, wie ...	
Überrascht hat mich, dass ...	
Meiner Ansicht/Meinung nach ...	
... unterscheiden sich sehr/kaum/nur wenig.	
Einerseits kann man einer Statistik ... entnehmen, andererseits gibt sie keine Auskunft über ...	

Schritt 4

Verfassen Sie nun Ihren Text.

Überprüfen Sie am Ende:
Habe ich die Satzanfänge ausreichend variiert und die Sätze sinnvoll miteinander verbunden?
Ist der Wortschatz abwechslungsreich, d.h. gibt es nicht allzu viele Wortwiederholungen?

HÖREN 1

1 Was macht man auf einer Bank bzw. einer Sparkasse?

Sehen Sie sich folgende Bilder an und erklären Sie, was man mit den abgebildeten Karten bzw. Papieren macht.

2 Lesen Sie, was folgende Personen planen bzw. brauchen.

CD | 5–11

Hören Sie dann die Erläuterungen zu verschiedenen Serviceangeboten von Banken einmal ganz. Hören Sie anschließend die einzelnen Punkte noch einmal und ordnen Sie jeder Person einen passenden Service zu. Nicht jeder Service wird hier gebraucht.

Person	Bankservice
1 Fritz Kinder möchte gern einen gebrauchten Wagen für 4 300,– Euro kaufen, den ein Kollege schnell verkaufen will. Auf seinem Girokonto ist derzeit ein Guthaben von 2 100,– Euro.	
2 Lisa, eine 16-jährige Schülerin, hat von ihrer Großmutter 400,– Euro bekommen und möchte diese sicher auf der Bank verwahren und sinnvoll anlegen.	
3 Es ist Feiertag, der U-Bahn-Kiosk ist geschlossen und Frau Stettner braucht dringend einen Fahrschein. Leider hat sie nur große Geldscheine, die der Fahrkarten-Automat nicht annimmt. Gott sei Dank hat sie ...	
4 Martin Buch ist geschieden. Er muss für seine Frau und seine beiden Kinder monatlich eine bestimmte Summe Unterhalt bezahlen.	
5 Herr Fischer kann gut mit dem Computer umgehen und erledigt Überweisungen am liebsten elektronisch von zu Hause aus.	
6 Miriam Schäfer hat nicht gern viel Bargeld bei sich, macht aber häufig ein „Schnäppchen“ in einer Boutique oder braucht spontan Geld für einen Discoabend.	
7 Sabine und Holger sind öfter zwei bis drei Wochen verreist und suchen einen möglichst praktischen Weg, ihre Telefonrechnung zu begleichen.	

3 Textwiedergabe

AB 20 3

a) Lesen Sie nun die im Arbeitsbuch (Seite AB 21) abgedruckten Hörtexte. Unterstreichen Sie darin die Hauptaussagen und notieren Sie Schlüsselwörter zu jedem Bankservice.

b) Setzen Sie sich in Kleingruppen zusammen. Jede/r erklärt mithilfe der Schlüsselwörter eine Serviceleistung, ohne den Oberbegriff zu nennen. Die anderen raten, um welche Leistung es sich handelt.

AB 21 4

4 Ihre Meinung

Sprechen Sie in Ihrer Gruppe über die folgenden Fragen.

a) Welchen Bankservice nehmen Sie häufig oder gelegentlich in Anspruch?

b) Worauf können Sie verzichten?

... brauche ich wöchentlich/monatlich.
... ist für mich unerlässlich.
... ist ein Service, den die Banken noch ausbauen sollten.
... habe ich noch nie/fast nie in Anspruch genommen.
... benutzt man doch nur für den Fall, dass ...
Auf ... kann ich verzichten. Das ist doch nur ...

AB 22 5

1 **Einkaufen und bezahlen per Internet – praktizieren Sie das auch?**

a Warum? Warum nicht? – Tauschen Sie sich kurz darüber aus.

b Der „arbeitende Kunde" – was könnte hinter diesem Begriff stecken?

2 **Überfliegen Sie den Text und ordnen Sie diese Zwischenüberschriften zu. Eine Überschrift ist zu viel.**

Das Ende der Privatheit
~~Der Spartrend greift immer weiter um sich~~
Einkaufen wird immer komplizierter
Gegentrends zu dieser Entwicklung
Konsequenz: Verlust von Arbeitsplätzen
Kosten und Mitarbeiter werden eingespart
Mehr Vorteile für die Banken
Neue Publikation erklärt den Trend

Mitarbeiten fürs Schnäppchen

Im Internet-Auktionshaus Ebay, beim Online-Banking oder Ticket-Kauf: Wer Rabatte will, muss dafür kräftig mitarbeiten. Zwei Wissenschaftler haben über dieses Phänomen jetzt ein Buch geschrieben.

a *Der Spartrend greift immer weiter um sich*

Wer sparen will, kauft Möbel, die er selbst zusammenbaut: Das kennt man schon seit Jahrzehnten, nur dass man in den vergangenen Jahren immer mehr dazu übergegangen ist, diese Möbel mit EC-Karte zu bezahlen statt mit Bargeld. Oder vielleicht direkt per Online-Banking. Bei der Gelegenheit hätte der Kunde dann gleich auch alle Möbel im Internet ansehen und bestellen können. Das spart ihm den Weg – und dem Möbelhaus langfristig Geld für Ausstellungsräume und Verkaufspersonal. Genauso, wie es der Bank die Arbeit erleichtert, wenn der Kunde seine Überweisung selbst eintippt, statt ein Formular am Schalter abzugeben.

b ....

„Der arbeitende Kunde" nennen Günter Voß und Kerstin Rieder dieses Phänomen. Der Soziologieprofessor der Technischen Universität Chemnitz und die Schweizer Psychologin haben ein gleichnamiges Buch herausgebracht. Darin fassen sie ihre Beobachtungen zu jenem zeitgenössischen Wechselspiel von Konsum und indirekter Mitarbeit zusammen.

c ....

„Managerkonzepte empfehlen ausdrücklich, Leistungen an Kunden zu übertragen", so Voß. Mit Wohlwollen beurteilt er dieses Phänomen nicht. Zeit, Kompetenz und adäquate Technik – etwa in Form eines Internetzugangs – seien, was jeder zunehmend mitbringen müsse, um einen an sich banalen Einkauf zu erledigen. Wie praktisch das für beide Seiten auch zu sein scheint, „Teilnahme am Konsum setzt immer mehr voraus", kritisiert Carel Mohn, Pressesprecher des Bundesverbandes der Verbraucherzentralen. Auch schwächere Gruppen müssten berücksichtigt werden.

ⓓ ....

Unzufrieden ist der Verbraucherschützer damit, dass Unternehmen die Vorteile der zunehmenden Automatisierung überwiegend für sich behalten, während sie Nachteile an ihre Kunden weitergeben. „Die Banken haben auf EC-Karten und Online-Banking umgestellt, weil es für sie günstiger ist. Für den Verbraucher bringt diese Art des Bezahlens aber nicht nur Vorteile, es sei denn, dass die Kreditinstitute auch das Haftungsrisiko übernehmen, wenn Passwörter geknackt werden. Bislang tun sie das jedenfalls nicht!"

ⓔ ....

Achim Stauß, Pressesprecher im Bereich Personenverkehr der Deutschen Bahn AG, betont: Auch Kunden würden profitieren, wenn sie mitarbeiten. „Wir haben eine Kostenersparnis, die wir an die Kunden weitergeben, indem wir ihnen im Internet besondere Angebote machen." Die Summe, die die Bahn jährlich einspart, indem Fahrgäste die von ihnen gewünschten Dienstleistungen selbst erbringen, scheint zu beeindruckend, als dass er sie hier beziffern würde.

ⓕ ....

Wenn diese Entwicklung auch noch so gewinnbringend für alle Seiten aussieht, muss der Unternehmenssprecher dennoch bestätigen: Durch die Umstellung gingen auch Arbeitsplätze verloren. Von 1000 Fahrkartenausgaben an kleineren und größeren Bahnhöfen sind fast 400 geschlossen worden, seit sich der Verkauf am Automaten durchgesetzt hat. Von entsprechenden Trends betroffen sind Banken, Fluggesellschaften, Groß- und Einzelhandel. „Die Dimensionen sind erheblich", betont der Soziologe Günter Voß.

ⓖ ....

Ganz bewusst entscheidet der Verbraucher sich manchmal gegen die höhere Qualität, wenn er durch aktive Mitarbeit ein preisgünstigeres Ergebnis erzielen kann. Günter Voß rechnet langfristig mit Konsequenzen von gesamtgesellschaftlicher Bedeutung: „Die Ökonomie zieht in unsere kuschelige Privatheit ein; wir müssen ihr zuarbeiten. Wenn ich zum Beispiel jeden Dienstag die neuesten Updates aus dem Internet laden muss, bin ich irgendwann ein Teil von Microsoft."

3 Welche Vor- und Nachteile entstehen bei dieser „Kundenmitarbeit"?

	Vorteile	Nachteile
Für den Kunden		
Für die Unternehmen		

GR 4 Zweiteilige Konnektoren – konditional

GR S. 30

ⓐ Suchen Sie im Text die Sätze mit folgenden zweiteiligen Konnektoren: *wie ... auch; wenn ... auch; es sei denn, dass; zu ..., als dass (+ Konj. II)*

ⓑ Formulieren Sie die Sätze um, indem Sie folgende Konnektoren verwenden: *falls/wenn ... nicht; zwar ..., aber; obwohl; zu ..., um ... zu*

Konnektoren	Umformulierung
wie ... auch *wenn ... auch* *es sei denn, dass* *zu ..., als dass (+ Konj. II)*	

AB 23 6

1 Sehen Sie sich das Titelblatt der Broschüre an.

Was macht webshop?

P **2** Auskunftsgespräch

CD | 12

Sie hören ein Auskunftsgespräch mit einer Mitarbeiterin von webshop. Lesen Sie die Aufgaben vor dem Hören. Antworten Sie in Stichworten.

a) Leistung von webshop: *verkauft Artikel, die man dort hinbringt, übers Internet*

b) Mindestverkaufspreise der Produkte: ______________

c) Weitere Bedingungen für die Annahme von Artikeln bei webshop: ______________

d) Der Anrufer möchte verkaufen: ______________

e) webshop übernimmt
- vor dem Verkauf der Ware: ______________
- nach dem Verkauf der Ware: ______________

f) Bei erfolgreichem Verkauf bekommt webshop: ______________

g) Nicht verkaufte Artikel werden vom Kunden ______________

h) Öffnungszeiten samstags bis: ______________

i) Lage des Ladens: Schleißheimer Straße, Nähe ______________

3 Ihre Erfahrungen

Haben Sie schon einmal über eine ähnliche Organisation etwas verkauft oder gekauft? Waren Sie zufrieden?

4 Modalpartikeln in gesprochener Sprache GR S. 30

CD | 12

Hören Sie das Gespräch noch einmal und achten Sie auf die Modalpartikeln.

a) Welche kommen in Fragen vor?

denn, ______________

b) Welche haben Sie in den Antworten gehört?

einfach, ______________

c) Welche gibt es sowohl in Frage- als auch in Aussage- oder Aufforderungssätzen?

mal, ______________

AB 23 7–9

5 Ein Telefongespräch

Simulieren Sie zu zweit ein Telefongespräch.
Empfehlen Sie webshop und begründen Sie Ihre Empfehlung.
Ihre Partnerin / Ihr Partner stellt Rückfragen.
Versuchen Sie, möglichst viele Modalpartikeln zu verwenden.

1 Mitfahrzentrale – Mitwohnzentrale

a) Was stellen Sie sich unter diesen Begriffen vor?

b) Was würden Sie gern in einem Ratgeber über Mitwohnzentralen erfahren? Notieren Sie Fragen.

2 Lesen Sie einen Artikel über Mitwohnzentralen aus einem „Finanzratgeber".

a) Überprüfen Sie, ob Ihre Fragen beantwortet werden.

b) Welche Informationen und Tipps sind für Sie völlig neu?

Weit weg und doch zu Hause

Wer für längere Zeit in eine fremde Stadt muss, will sich dort wohlfühlen. Meist können das selbst noble Hotels nicht bieten. Die Lösung heißt Mitwohnen.

Hotelzimmer sehen überall auf der Welt gleich aus. Wer öfter unterwegs ist, kann das bestätigen. Auch wenn sich große und kleine Hotels noch so viel Mühe geben, Reisende, die länger in einer Stadt leben müssen, sehnen sich spätestens nach einer Woche nach mehr als 24 Quadratmeter funktionalem Wohnraum mit Nasszelle.

Wie gut, dass es Menschen gibt, die eine Wohnung zu viel haben. Die Geschäftsfrau zum Beispiel, die beruflich für ein Jahr nach London muss, oder das Paar, das endlich zusammenziehen, aber für eine überschaubare Zeit noch zwei Wohnungen behalten will. Und dann gibt es da noch die neue Wohnung, in die man unbedingt einziehen will, obwohl der Mietvertrag für die alte noch drei Monate läuft.

Nichts ist unmöglich

Die Lösung heißt sowohl für die einen als auch für die anderen: Mitwohnzentrale. In den letzten zehn Jahren sind diese Agenturen wie Pilze aus dem Boden geschossen. In fast jeder größeren Stadt bieten sie ihre Dienste an. „Egal, ob Anbieter oder Wohnungssuchender, wir kümmern uns um jeden", sagt Thomas Kühn, zweiter Vorsitzender der *Arbeitsgemeinschaft Mitwohnbüro e. V.* in Hannover und selbst Inhaber einer Agentur. „Wir bieten Häuser, Wohnungen, Apartments, Wohngemeinschafts- und Untermietszimmer. Dabei reicht der Mietzeitraum von einer Übernachtung bis zum unbefristeten Mietvertrag." Wer eine Bleibe sucht, bekommt bei Kühn meist das geboten, was er per Fragebogen als Wunsch angegeben hat. Der große Vorteil: Durch die Zugehörigkeit zur Arbeitsgemeinschaft kann Kühn nicht nur in Hannover, sondern auch in anderen Städten Mitwohngelegenheiten vermitteln.

Zwei bis vier Wochen brauchen die Mitwohnzentralen in den meisten Fällen, um dem Suchenden ein paar konkrete Angebote zu vermitteln. „Eine schnellere Vermittlung hat natürlich mit Glück zu tun", sagt Eberhard Brodde von der großen Hamburger Mitwohnzentrale *Wencke und Partner.* „Wer für einen längeren Zeitraum mieten will, sollte sich einen Monat vor dem gewünschten Termin bei uns melden. Mietverhältnisse von zwei bis drei Monaten können wir auch schon mal innerhalb einer Woche vermitteln." Auch die Hamburger sehen es lieber, wenn sich ihre Kunden mit ganz konkreten Vorstellungen an sie wenden. Je nach Mietdauer werden dabei zwischen 25 und 150 Prozent einer Monatsmiete als Provision fällig.

Von preiswert bis teuer

So unterschiedlich die Angebote, so verschieden sind auch die Mieten. Meist nennt der Anbieter den Preis, den er sich für seine vier Wände vorstellt. Ob dieser erzielbar ist, regelt der Markt. Die zukünftigen Mieter erhalten ohnehin mehrere Adressen und können dann entweder Hütte oder Palast wählen. Je komfortabler und exklusiver eine Wohnung ausgestattet ist, desto höher liegen die Mietpreise über dem Durchschnitt. Eine Zwei-Zimmer-Penthouse-Wohnung mit großer Dachterrasse, Fax, Telefon, teurer Einrichtung, Schwimmbad und Sauna im Haus sowie einer Garage kostet doppelt so viel wie eine normal ausgestattete Wohnung in dieser Größe. Angst, auf solchen Angeboten sitzen zu bleiben, kennen weder Kühn noch Brodde. Mitwohnzentralen entwickeln sich immer mehr zum Anlaufpunkt für Firmen, Künstleragenturen oder Fernsehgesellschaften, die ihre Mitarbeiter für die Zeit ihres Einsatzes angemessen beherbergen wollen.

Mit Unterschrift und Vertrag

Wichtige Fragen des Vertrages müssen zwischen beiden Partnern geklärt werden. Das betrifft vor allem das Problem der Untermiet-Erlaubnis. Wer seine Wohnung zur Verfügung stellt, wird gleich im ersten Gespräch danach gefragt.

Auch in der Frage des Versicherungsschutzes hat die Hamburger Mitwohnzentrale eine Möglichkeit gefunden, unangenehmen Situationen aus dem 105 Weg zu gehen. Wer länger als sechs Monate mietet, kann für einen Jahresbeitrag von 50 Euro eine spezielle Haftpflichtpolice abschließen. Das ist wichtig, da bei Schäden, die der Mieter auf 110 Zeit anrichtet, dessen private Haftpflicht nicht einspringt. Absprachen zwischen Vermieter und Mieter sollten auf jeden Fall schriftlich festgehalten werden. Die meisten Mitwohnzentralen legen zwar 115 ihren Kunden ohnehin Mietverträge vor, die fast alle wichtigen Regelungen von Mietpreis und Nebenkosten bis zu den Kosten für das Telefon enthalten, aber weitere Kleinigkeiten sollten darüber 120 hinaus geregelt werden. Die Pflege der Grünpflanzen zum Beispiel, die man seinem Mieter als Pflicht auferlegen kann. Damit auch der Gummibaum vom Untermieter profitiert.

3 Fragen zum Text

Lesen Sie den Text noch einmal und beantworten Sie die Fragen in Stichworten.

Frage	Antwort
a Wer sollte sich an Mitwohnzentralen wenden?	z.B. Reisende, die länger in einer Stadt sind
b Was vermitteln diese Agenturen?	
c Wie lange ist die minimale Mietdauer?	
d Wie hoch sind die Vermittlungskosten?	
e Wer bestimmt den Mietpreis?	
f Was ist vor der Vermietung zu klären?	
g Was sollte im Mietvertrag festgehalten werden?	

4 Was meinen Sie?

Unterhalten Sie sich in Kleingruppen.

a Würden Sie über eine Mitwohnzentrale eine Wohnmöglichkeit suchen? Warum (nicht)?

b Würden Sie für die Dauer einer längeren Reise Ihre Wohnung vermieten? Warum (nicht)? AB 24 10

GR 5 Zweiteilige Konnektoren

GR S. 30

Suchen Sie im Text Beispiele für die Verwendung der Konnektoren und tragen Sie sie in die Übersicht ein.

additiv	negativ	alternativ	adversativ (Gegensatz)	komparativ (Steigerung)
sowohl – als auch				

GR 6 Verbinden Sie die folgenden Sätze mithilfe der Konnektoren aus der Übersicht.

Beispiel: Sie hat keine Freunde und auch keine Bekannten in der Stadt.
Sie hat weder Freunde noch Bekannte in der Stadt.

a Vera fühlt sich in der Wohnung wohl. Sie hat auch schon nette Nachbarn kennengelernt.

b Sie kann ein Zimmer mieten. Sie kann aber auch die ganze Wohnung nehmen.

c Wenn sie länger in der Wohnung bleibt, werden die Kosten pro Monat billiger.

d Sie fährt mit dem Bus ins Büro. Manchmal nimmt sie auch die U-Bahn.

e Das Leben in der Großstadt ist anstrengend. Vera findet es jedoch sehr spannend. AB 25 11

SCHREIBEN 2

P 1 **Briefe in die Heimat**

Gloria S. aus Zürich arbeitet bei einer Schweizer Bank und muss aus beruflichen Gründen einige Monate nach Deutschland. Dort hat sie eine Wohnung über eine Mitwohnzentrale gefunden. Sie schreibt nun einen Brief an einen Freund in ihrem Heimatort und einen zweiten an ihre Kollegin in der Bank, die ihr die Mitwohnzentrale empfohlen hat.
Ergänzen Sie die Lücken 1 bis 10 im zweiten Brief und verwenden Sie dazu die Informationen aus dem ersten Brief.

Lieber Markus,

Du weisst* ja, dass ich hier in Hamburg nicht die ganze Zeit in einem unpersönlichen Hotel bleiben wollte, sondern lieber privat wohne. Also habe ich über eine Mitwohnzentrale eine kleine Zweizimmerwohnung gesucht und gefunden.

Die Wohnung ist urgemütlich eingerichtet und liegt in einem ‚jungen' Stadtviertel mit vielen tollen Kneipen. Manchmal ist es nachts auf der Strasse* zwar auch ein bisschen laut, aber man kann ja nicht alles haben.

Stell Dir vor, ich leb' hier tatsächlich mit mehreren Haustieren zusammen: 15 Fische und ein Kanarienvogel, der mich jeden Morgen mit seinem Geträller weckt. Eigentlich ist das ja ganz lustig, ich darf nur nicht vergessen, sie zu füttern und sauber zu machen.

Insgesamt finde ich, dass das Experiment „Mitwohnen' toll und spannend ist, und kann nur sagen: Probier's doch auch mal, wenn Du länger unterwegs bist.

Bis bald
Deine Gloria

* Diese Schreibweise gilt in der Schweiz; in Deutschland und Österreich: „weißt" und „Straße"

(1)................... Frau Köhler,

Ihr Hinweis auf die Mitwohnzentrale hat mir wirklich weitergeholfen. Nochmals (2)..vielen... Dank! Ich wohne jetzt in einer hübschen Zweizimmerwohnung und fühle mich sehr wohl.

Die Wohnungseinrichtung ist sehr gemütlich. Auch die (3)................ der Wohnung entspricht meinen Vorstellungen. Es gibt unzählige Möglichkeiten am Abend (4)................, allerdings wird man bei offenem Fenster gelegentlich in seiner Nachtruhe (5)................. Doch das nehme ich gern in Kauf.
Der (6)........................ der Wohnung hat mir seine Haustiere in Pflege gegeben. Es handelt sich um 15 Fische und einen Kanarienvogel. Ich finde diesen kleinen Zoo sehr amüsant. Meine (7)................... ist es, die Tiere zu versorgen.

Alles in allem ist dieser Mitwohnaufenthalt eine interessante (8)........ ...., die ich nur jedem (9)...................... kann.

Herzliche (10)....................

Ihre
Gloria Sicora

SPRECHEN

1 Was ist eine WG bzw. Wohngemeinschaft?

Haben Sie eigene Erfahrungen damit? Wenn ja, welche?

2 Worum geht es hier?

Es ist meist die alte Leier. Zeitungen, Schwarze Bretter, Internetplattformen: Alles Denkbare wird täglich durchforstet auf der Suche nach der passenden WG. Wochenlang stürzt der Suchende von Wohnung zu Wohnung. Kennenlernen der zukünftigen Mitbewohner in zehn Minuten im Hausflur. Monate später kommt oft der große Krach, die Chemie stimmt nicht, das Aus für das gemeinschaftliche Wohnen.
Dem Trend aus Paris folgend, soll *WG-Party* die etwas andere Wohnungssuche sein und bietet in lockerer Partyatmosphäre Zeit und Raum zum Kennenlernen, Gespräche führen und natürlich: Spaß haben!
Das Prinzip ist einfach: An der Farbe des Aufklebers, den jeder am Körper trägt, ist erkennbar, wer suchend ist und wer etwas zu bieten hat. Darauf steht eine Nummer, die für Aushänge mit personenbezogenen Angaben an einem Infobrett dienlich ist. Alles andere passiert ganz von selbst.

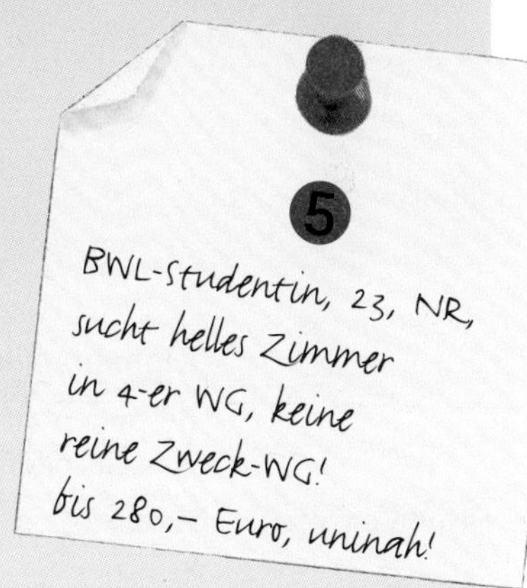

3 Angebot und Nachfrage

a) Die Klasse teilt sich in Zimmersuchende und Zimmerbietende. Zimmersuchende bekommen einen roten Aufkleber, Zimmerbietende einen grünen.

b) Formulieren Sie einen Aushang für das Infobrett, auf dem die folgenden Informationen zu finden sind:

Zimmersuchende
Name – Beschäftigung – Alter – besondere Wünsche und Eigenschaften – Zimmergröße – Preisvorstellung – Lage

Zimmerbietende/Vermieter
Name – Informationen über Zimmergröße – Preis – Lage – Anzahl der WG-Mitglieder – eventuell Kurzinfo zu WG-Mitgliedern – Wünsche an neuen Mitbewohner

4 Verhandlung: Zimmerpreis

Zimmersuchende: Beginnen Sie ein Gespräch mit einer Person mit einem grünen Aufkleber. Holen Sie auch Informationen vom Infobrett ein. Versuchen Sie, einen günstigeren Mietpreis auszuhandeln, überlegen Sie sich dafür Argumente (*Zimmer dunkel, laut, ... Vergleich mit anderen*). Suchen Sie so lange, bis Sie etwas Geeignetes gefunden haben. Sie können natürlich auch (kleine) Kompromisse machen.

1 Zweiteilige Konnektoren

ÜG S. 168 ff.

Bedeutung	Konnektor	Beispiel
additiv	sowohl – als auch nicht nur – sondern auch	*Die Lösung heißt sowohl für die einen als auch für die anderen: Mitwohnzentrale.* *Kühn kann nicht nur in Hannover, sondern auch in anderen Städten Wohnungen vermitteln.*
negativ	weder – noch	*Angst ... kennt weder Vermittler Kühn noch sein Konkurrent Brodde.*
alternativ	entweder – oder	*Die Mieter können entweder Hütte oder Palast wählen.*
komparativ	je – desto	*Je komfortabler eine Wohnung ist, desto höher ist der Mietpreis.*
konzessiv	wenn ... auch, (so) doch wie ... auch, ... doch es sei denn, dass	*Wenn die Entwicklung auch noch so gewinnbringend aussieht, (so) zahlt man doch einen hohen Preis dafür.* *Wie praktisch der Einkauf per Internet für beide Seiten auch scheint, er hat doch einige Nachteile.* *Frau Becker kann sich dieses Jahr keinen Urlaub leisten, es sei denn, dass sie im Lotto gewinnt.*
adversativ	zwar – aber	*Kleine Schäden lassen sich zwar regulieren, aber eine Versicherung ist trotzdem sinnvoll.*
irreal	zu ..., um zu	*Manche Kunden sind zu ängstlich, um per Internet zu bestellen.*
konsekutiv	zu ..., als dass	*Manchen Kunden ist der direkte Kontakt mit dem Verkäufer zu wichtig, als dass sie per Internet bestellen würden.*

2

2 Modalpartikeln

ÜG S. 74

Besonders in der gesprochenen Sprache: Ausdruck einer bestimmten Absicht oder emotionalen Färbung des Gesagten.

Modalpartikel	Beispiel	Satzart	Bedeutung
aber	*Das ist aber praktisch!*	Ausrufesatz	Überraschung
eben	*Dann versuchen wir es eben noch einmal.*	Aussagesatz	Schlussfolgerung, oft mit resignativem Unterton
einfach	*Sie geben mir einfach eine genaue Beschreibung.*	Aussagesatz	Lösungsvorschlag
ja	*Somit lohnt sich ja der Anruf nicht.* *Erzähl ihr ja nichts davon!*	Aussagesatz Ausrufesatz	unbetont: Hinweis auf etwas schon Bekanntes; betont: Warnung, Drohung
ruhig	*Sie können ruhig noch darüber nachdenken.*	Aussagesatz	niemand ist dagegen, freundliche Aufforderung
vielleicht	*Könnten Sie mir vielleicht eine Infobroschüre schicken?* *Die Verkäufer hier sind vielleicht unfreundlich!*	Ja-/Nein-Frage Ausrufesatz	hat den Charakter einer höflichen Aufforderung; drückt Verärgerung oder (meist negatives) Erstaunen aus
mal	*Kannst du mal helfen?* *Komm doch mal her!*	Frage Aufforderung	verbindlich-höfliche Routine-Aufforderung
eigentlich	*Wer ist das eigentlich?*	Fragesatz	großes Interesse, Überraschung
denn	*Was für Artikel können das denn sein?* *Bist du denn wahnsinnig?*	Fragesatz	bekundet Interesse entsetzter Vorwurf
doch	*Gehen wir doch hin!* *Das hättest du mir doch sagen können!*	Aufforderung Ausrufesatz	freundliche Aufforderung freundlicher Vorwurf

3

1 Um welches Thema geht es wohl bei den beiden Fotos?

AB 30 2

2 Kurzvortrag

a Setzen Sie sich zu dritt zusammen und sammeln Sie Stichworte zu folgender Frage:
Ist das Fernsehen der größte Konkurrent des Lesens oder kann Fernsehen die Lust am Lesen sogar fördern?

b Sprechen Sie in der Gruppe möglichst ausführlich und berücksichtigen Sie die verschiedenen Sichtweisen. Formulieren Sie nun in der Gruppe ein Statement.

c Tragen Sie das Statement im Plenum vor.

AB 30 3

3 Literatur lesen

a Welche Art von Büchern lesen Sie persönlich gerne?
Bestseller – Comics – Klassiker – Krimis – Sachbücher – Vorlagen zu Verfilmungen – Weltliteratur – ...

b Welche haben Sie auf Deutsch schon gelesen?
Welche würden Sie gerne lesen?

c Was verstehen Sie unter „guter Literatur"?

SPRECHEN 1

1 Auswahl eines Hörbuchs

a) Wählen Sie in einer Bibliothek, einem Buchladen oder im Internet ein Hörbuch aus, das Sie im Kurs als „Empfehlung" präsentieren wollen.

b) Ordnen Sie dazu folgende Auswahlkriterien:

1	Von wem?	zusätzliches Material
2	Was für ein Text?	Inhalt
3	Was noch?	Preis
4	Wovon handelt es?	Quelle
5	Wie gesprochen?	Spieldauer
6	Wie lang?	sprachliche Vorkenntnisse?
7	Wie teuer?	Sprecher
8	Wie verständlich?	Textsorte
9	Woher?	Thema
10	Was wird erzählt?	Autor

2 Lesen Sie folgende Besprechung.

Wo finden Sie die Information?
Tragen Sie die Zahlen aus Aufgabe 1 in die Kästchen ein.

Im Internet findet sich als kostenfreies Download eine Erzählung des berühmten deutschen Ornithologen (Vogelkundlers) Alfred Brehm (www.vorlesen.net/html/brehm.html). ☐ ☐ ☐

Seine Erzählung trägt den Titel „Die Katze, das unbekannte Wesen". ☐ ☐ Brehm erzählt
5 von einer Katze namens Riese. Er beobachtet an ihr die besonders große Mutterliebe von Katzen. Die ziehen nicht nur die eigenen Jungen auf, sondern wenn nötig auch die von fremden Müttern. ☐
Die Sprache der Erzählung ist ein wenig altertümlich, was daher kommt, dass der Text im neunzehnten Jahrhundert geschrieben wurde. Manche Wörter werden heute nicht mehr
10 gebraucht. ☐ Hier ein Beispiel: „Riese war Mutter geworden und pflegte zwei reizende Kinderchen. Da widerfuhr ihr das Unglück, eingefangen und von den noch unbehilflichen Kleinen getrennt zu werden. Ich konnte die Kätzchen unmöglich umkommen lassen und sann auf Rettung. In der Nachbarschaft hatte ebenfalls eine Katze geworfen, war aber ihrer Jungen beraubt worden. Sie wurde als Pflegemutter gewonnen."
15 Dafür ist der Text deutlich gesprochen, sodass man der Erzählung ohne Schwierigkeiten folgen kann. Gut finde ich auch, dass es eine Druckversion von der Aufnahme gibt. So kann man den Text nicht nur hören, sondern auch lesen. ☐ Wenn man eine bestimmte Stelle nicht richtig verstanden hat, ist das eine Hilfe. Außerdem gibt es auf der Website Informationen zum Autor. Alfred Brehm (1829–1884) war Direktor des Hamburger Zoolo-
20 gischen Gartens und ist im deutschsprachigen Raum bekannt für sein mehrbändiges Standardwerk *Brehms Tierleben*. ☐
Empfehlenswert ist diese Höraufnahme für fortgeschrittene Deutschlernende. ☐

Bewertung: +++ hörenswert
(++++ sehr hörenswert / +++ hörenswert /++ eher nicht hörenswert / + uninteressant)

AB 30 4–5

3 Empfehlungsliste: Die besten Hörbücher

Verfassen Sie eine Hörbuch-Empfehlung nach dem Muster in Aufgabe 2.

4 Präsentieren Sie das Hörbuch im Kurs.

1 **Das Leben älterer Menschen**

a) Erzählen Sie, wie Ihre Großmutter gewöhnlich den Tag verbringt bzw. verbrachte.

b) Haben ältere Menschen Ihrer Meinung nach Pflichten gegenüber ihrer Familie oder der Gesellschaft? Wenn ja, welche?

c) Die „Würde des Alters": Was verstehen Sie darunter?

Die unwürdige Greisin

Bertolt Brecht

Meine Großmutter war zweiundsiebzig Jahre alt, als mein Großvater starb. Er hatte eine kleine Lithographieanstalt[1] in einem badischen Städtchen und arbeitete darin mit zwei, drei Gehilfen[2] bis zu seinem 5 Tod. Meine Großmutter besorgte ohne Magd den Haushalt, betreute das alte, wackelige[3] Haus und kochte für die Mannsleute und Kinder. Sie war eine kleine magere Frau mit lebhaften Eidechsenaugen, aber langsamer Sprechweise. Mit recht kärglichen[4] Mitteln hatte 10 sie fünf Kinder großgezogen – von den sieben, die sie geboren hatte. Davon war sie mit den Jahren kleiner geworden. Von den Kindern gingen die zwei Mädchen nach Amerika, und zwei der Söhne zogen ebenfalls weg. Nur der Jüngste, der eine schwache Gesundheit 15 hatte, blieb im Städtchen. Er wurde Buchdrucker und legte sich eine viel zu große Familie zu.
So war sie allein im Haus, als mein Großvater gestorben war.

Die Kinder schrieben sich Briefe über das Pro- 20 blem, was mit ihr zu geschehen hätte. Einer konnte ihr bei sich ein Heim anbieten, und der Buchdrucker wollte mit den Seinen zu ihr ins Haus ziehen. Aber die Greisin verhielt sich abweisend zu den Vorschlägen und wollte nur von jedem ihrer Kinder, das 25 dazu imstande war, eine kleine geldliche Unterstützung annehmen. Die Lithographieanstalt, längst veraltet, brachte fast nichts beim Verkauf, und es waren auch Schulden da.
Die Kinder schrieben ihr, sie könne doch nicht ganz 30 allein leben, aber als sie darauf überhaupt nicht einging, gaben sie nach und schickten ihr monatlich ein bißchen Geld. Schließlich, dachten sie, war ja der Buchdrucker im Städtchen geblieben.
Der Buchdrucker übernahm es auch, seinen Geschwi- 35 stern mitunter[5] über die Mutter zu berichten. Seine Briefe an meinen Vater und was dieser bei einem Besuch und nach dem Begräbnis meiner Großmutter zwei Jahre später erfuhr, geben mir ein Bild von dem, was in diesen zwei Jahren geschah.

2 **Lesen Sie den Titel und den ersten Absatz der Erzählung.**

a) Wie wird die Großmutter beschrieben?

b) Was erfährt man über ihre Lebensumstände?

c) Wer gehört zu ihrer Familie?

d) Was weiß man über die Wohnorte der Familienmitglieder?

3 **Spekulation**

a) Was wird nun passieren?

b) Wie wird sich wohl das Verhältnis der Kinder zu ihrer Mutter entwickeln?

Vermutlich werden die Kinder nun ...
Die Großmutter könnte aber auch ...
Möglicherweise haben sie mehr/ weniger ...

4 **Lesen Sie weiter bis Zeile 54.**

a) Schildern Sie
- die Pläne der Kinder,
- die Reaktion der Großmutter.

b) Wie erfuhr der Erzähler von den Ereignissen nach dem Tod des Großvaters?

c) Charakterisieren Sie kurz den Buchdrucker, seine Familie und seine Lebensumstände.

d) Beschreiben Sie das Verhältnis des Buchdruckers zu seiner Mutter, der Großmutter des Erzählers. Nennen Sie Textstellen. Beispiel: Zeile 40, *Es scheint, daß der Buchdrucker von Anfang an enttäuscht war ...*

[1] die Lithographie	grafische Technik zur Vervielfältigung einer Zeichnung
die Anstalt	hier: altes Wort für Unternehmen, Firma
[2] der Gehilfe	altes Wort für Helfer, Mitarbeiter
[3] wackelig	instabil, nicht fest gebaut
[4] kärglich	hier: einfach, sparsam
[5] mitunter	manchmal, von Zeit zu Zeit

40 Es scheint, daß der Buchdrucker von Anfang an enttäuscht war, daß meine Großmutter sich weigerte, ihn in das ziemlich große und nun leerstehende Haus aufzunehmen. Er wohnte mit vier Kindern in drei Zimmern. Aber die Greisin hielt überhaupt nur eine lose
45 Verbindung mit ihm aufrecht. Sie lud die Kinder jeden Sonntagnachmittag zum Kaffee, das war eigentlich alles.
Sie besuchte ihren Sohn ein- oder zweimal im Vierteljahr und half der Schwiegertochter beim Beereneinkochen[1].
50 Die junge Frau entnahm einigen ihrer Äußerungen, daß es ihr in der kleinen Wohnung des Buchdruckers zu eng war. Dieser konnte sich nicht enthalten, in seinem Bericht darüber ein Ausrufezeichen anzubringen.

55 Auf eine schriftliche Anfrage meines Vaters, was die alte Frau denn jetzt so mache, antwortete er ziemlich kurz, sie besuche das Kino.
Man muß verstehen, daß das nichts Gewöhnliches war, jedenfalls nicht in den Augen ihrer Kinder. Das Kino
60 war vor dreißig Jahren noch nicht, wie es heute ist. Es handelte sich um elende, schlecht gelüftete Lokale, oft in alten Kegelbahnen[2] eingerichtet, mit schreienden Plakaten vor dem Eingang, auf denen Morde und Tragödien der Leidenschaft angezeigt waren. Eigent-
65 lich gingen nur Halbwüchsige[3] hin oder, des Dunkels wegen, Liebespaare. Eine einzelne alte Frau mußte dort sicher auffallen.
Und so war noch eine andere Seite des Kinobesuchs zu bedenken. Der Eintritt war gewiß billig, da aber das
70 Vergnügen ungefähr unter den Schleckereien[4] rangierte, bedeutete es „hinausgeworfenes Geld". Und Geld hinauszuwerfen, war nicht respektabel.
Dazu kam, daß meine Großmutter nicht nur mit ihrem Sohn am Ort keinen regelmäßigen Verkehr
75 pflegte, sondern auch sonst niemanden von ihren Bekannten besuchte oder einlud. Sie ging niemals zu den Kaffeegesellschaften des Städtchens. Dafür besuchte sie häufig die Werkstatt eines Flickschusters[5] in einem armen und sogar etwas verrufenen Gäßchen, in
80 der, besonders nachmittags, allerlei nicht besonders respektable Existenzen herumsaßen, stellungslose Kellnerinnen und Handwerksburschen. Der Flickschuster war ein Mann in mittleren Jahren, der in der ganzen Welt herumgekommen war, ohne es zu etwas
85 gebracht zu haben. Es hieß auch, daß er trank. Es war jedenfalls kein Verkehr für meine Großmutter.
Der Buchdrucker deutete in einem Brief an, daß er seine Mutter darauf hingewiesen, aber einen recht kühlen Bescheid bekommen habe. „Er hat etwas gese-
90 hen", war ihre Antwort, und das Gespräch war damit

5 Spekulation

a) Wie geht die Geschichte weiter?
b) Welche Probleme sehen Sie voraus?

6 Lesen Sie weiter bis Zeile 99.

a) Welche neue Beschäftigung hatte die Großmutter gefunden?
b) Wie sehen die Kinder ihre Beschäftigung? Welche Textstellen geben diese Einschätzung wieder?
c) Mit welchen Leuten verkehrte die Großmutter zu dieser Zeit? Wen traf sie seltener?
d) Was wird von ihren Kindern als „unpassend" empfunden? Warum?
e) Was bedeutet der letzte Satz des Absatzes: „Was war in sie gefahren?"
Kreuzen Sie an.

- ☐ Wohin war sie gefahren?
- ☐ Ob sie wohl verrückt geworden ist?
- ☐ Wer ist mit ihr zum Gasthof gefahren?

[1] einkochen	Konservieren von Obst, Beeren usw. durch Kochen und luftdichtes Verschließen
[2] kegeln	wie Bowling; mit einer Kugel wirft man möglichst viele der neun am Ende einer Bahn aufgestellten Kegel um
[3] der/die Halbwüchsige	Jugendliche/r
[4] die Schleckereien (Pl.)	Süßigkeiten, hier: Unterhaltsames
[5] der Flickschuster	ein Schuster, der Schuhe nur repariert

zu Ende. Es war nicht leicht, mit meiner Großmutter über Dinge zu reden, die sie nicht bereden wollte.
Etwa ein halbes Jahr nach dem Tod des Großvaters schrieb der Buchdrucker meinem Vater, daß die Mut-
95 ter jetzt jeden zweiten Tag im Gasthof esse. Was für eine Nachricht! Großmutter, die zeit ihres Lebens für ein Dutzend Menschen gekocht und immer nur die Reste aufgegessen hatte, aß jetzt im Gasthof! Was war in sie gefahren?

100 Bald darauf führte meinen Vater eine Geschäftsreise in die Nähe, und er besuchte seine Mutter. Er traf sie im Begriffe, auszugehen. Sie nahm den Hut wieder ab und setzte ihm ein Glas Rotwein mit Zwieback[1] vor. Sie schien ganz ausgeglichener[2] Stimmung
105 zu sein, weder besonders aufgekratzt[3] noch besonders schweigsam. Sie erkundigte sich nach uns, allerdings nicht sehr eingehend, und wollte hauptsächlich wissen, ob es für die Kinder auch Kirschen gäbe. Da war sie ganz wie immer. Die Stube war natürlich peinlich sau-
110 ber, und sie sah gesund aus.
Das einzige, was auf ihr neues Leben hindeutete[4], war, daß sie nicht mit meinem Vater auf den Gottesacker[5] gehen wollte, das Grab ihres Mannes zu besuchen. „Du kannst allein hingehen", sagte sie beiläufig, „es ist
115 das dritte von links in der elften Reihe. Ich muß noch wohin."
Der Buchdrucker erklärte nachher, daß sie wahrscheinlich zu ihrem Flickschuster mußte. Er klagte sehr. „Ich sitze hier in diesen Löchern mit den Meinen
120 und habe nur noch fünf Stunden Arbeit und schlecht bezahlte, dazu macht mir mein Asthma[6] wieder zu schaffen, und das Haus in der Hauptstraße steht leer."

Mein Vater hat im Gasthof ein Zimmer genommen, aber erwartet, daß er zum Wohnen doch von seiner
125 Mutter eingeladen werden würde, wenigstens pro forma[7], aber sie sprach nicht davon. Und sogar als das Haus voll gewesen war, hatte sie immer etwas dagegen gehabt, daß er nicht bei ihnen wohnte und dazu das Geld für das Hotel ausgab!
130 Aber sie schien mit ihrem Familienleben abgeschlossen zu haben und neue Wege zu gehen, jetzt, wo ihr Leben sich neigte. Mein Vater, der eine gute Portion Humor besaß, fand sie „ganz munter" und sagte meinem Onkel, er solle die alte Frau machen lassen, was sie
135 wollte. Aber was wollte sie?
Das nächste, was berichtet wurde, war, daß sie eine Bregg bestellt hatte und nach einem Ausflugsort gefahren war, an einem gewöhnlichen Donnerstag. Eine Bregg war ein großes, hochrädriges Pferdegefährt
140 mit Plätzen für ganze Familien. Einige wenige Male, wenn wir Enkelkinder zu Besuch gekommen waren,

7 Lesen Sie weiter bis Zeile 171.

a) Der Vater des Erzählers besucht seine Mutter. Was an ihr erscheint ihm wie immer, was findet er ungewöhnlich?

b) Über welche Aktivitäten der Großmutter wird berichtet?

c) Schätzt der Vater des Erzählers seine Mutter gleich ein wie der Buchdrucker? Suchen Sie Textstellen, in denen die Meinung der beiden Männer zu ihrer Mutter jeweils deutlich wird.

Vater des Erzählers
sie schien ganz ausgeglichener Stimmung (Z. 104)

Buchdrucker

d) Wer bezeichnet das Verhalten der Großmutter als „unwürdig"? Warum?

[1] der Zwieback — knusprig hartes, haltbares Gebäck
[2] ausgeglichen — entspannt
[3] aufgekratzt — eher lustig, gut gelaunt, lebhaft
[4] hindeuten — hinweisen
[5] der Gottesacker — Friedhof
[6] das Asthma — Krankheit, die sich in Atemnot, Kurzatmigkeit äußert
[7] pro forma — der Form wegen, um den gesellschaftlichen Regeln gerecht zu werden

3

hatte Großvater die Bregg gemietet. Großmutter war immer zu Hause geblieben. Sie hatte es mit einer wegwerfenden Handbewegung abgelehnt, mitzukommen.
145 Und nach der Bregg kam die Reise nach K., einer größeren Stadt, etwa zwei Eisenbahnstunden entfernt. Dort war ein Pferderennen, und zu dem Pferderennen fuhr meine Großmutter. Der Buchdrucker war jetzt durch und durch alarmiert. Er wollte einen Arzt hin-
150 zugezogen haben. Mein Vater schüttelte den Kopf, als er den Brief las, lehnte aber die Hinzuziehung eines Arztes ab. Nach K. war meine Großmutter nicht allein gefahren. Sie hatte ein junges Mädchen mitgenommen, eine halbe Schwachsinnige, wie der Buchdrucker
155 schrieb, das Küchenmädchen des Gasthofs, in dem die Greisin jeden zweiten Tag speiste. Dieser ‚Krüppel'[1] spielte von jetzt ab eine Rolle. Meine Großmutter schien einen Narren an ihr gefressen[2] zu haben. Sie nahm sie mit ins Kino und zum Flickschuster, der sich
160 übrigens als Sozialdemokrat herausgestellt hatte, und es ging das Gerücht, daß die beiden Frauen bei einem Glas Rotwein in der Küche Karten spielten.
„Sie hat dem Krüppel jetzt einen Hut gekauft mit Rosen drauf", schrieb der Buchdrucker verzweifelt.
165 „Und unsere Anna hat kein Kommunionskleid[3]!"
Die Briefe meines Onkels wurden ganz hysterisch, handelten nur von der ‚unwürdigen Aufführung unserer lieben Mutter' und gaben sonst nichts mehr her. Das Weitere habe ich von meinem Vater.
170 Der Gastwirt hatte ihm mit Augenzwinkern zugeraunt: „Frau B. amüsiert sich ja jetzt, wie man hört."

In Wirklichkeit lebte meine Großmutter auch diese letzten Jahre keinesfalls üppig[4]. Wenn sie nicht im Gasthof aß, nahm sie meist nur ein wenig Eierspeise zu
175 sich, etwas Kaffee und vor allem ihren geliebten Zwieback. Dafür leistete sie sich einen billigen Rotwein, von dem sie zu allen Mahlzeiten ein kleines Glas trank. Das Haus hielt sie sehr rein, und nicht nur die Schlafstube[5] und die Küche, die sie benutzte. Jedoch nahm
180 sie darauf ohne Wissen der Kinder eine Hypothek auf. Es kam niemals heraus, was sie mit dem Geld machte. Sie scheint es dem Flickschuster gegeben zu haben. Er zog nach ihrem Tod in eine andere Stadt und soll dort ein größeres Geschäft für Maßschuhe eröffnet haben.
185 Genau betrachtet lebte sie hintereinander zwei Leben. Das eine, erste, als Tochter, als Frau und als Mutter und das zweite einfach als Frau B., eine alleinstehende Person ohne Verpflichtungen und mit bescheidenen, aber ausreichenden Mitteln. Das erste Leben dauerte
190 etwa sechs Jahrzehnte, das zweite nicht mehr als zwei Jahre.
Mein Vater brachte in Erfahrung, daß sie im letzten halben Jahr sich gewisse Freiheiten gestattete, die nor-

8 **Lesen Sie weiter bis Zeile 208.**

a Die Großmutter „lebte hintereinander zwei Leben" (Zeile 185). Was ist damit gemeint?

b Ordnen Sie den beiden „Leben" jeweils Stichworte zu.

das erste Leben	
als	Tochter, Frau, ...
Dauer	
Aktivitäten	
soziale Kontakte	
das zweite Leben	
als	
Dauer	
Aktivitäten	
soziale Kontakte	

c Was meinen Sie: Warum ist die Großmutter lieber mit dem Flickschuster zusammen als mit der Familie des Buchdruckers?

[1] der Krüppel — behinderter, missgebildeter Mensch
[2] an jemandem einen Narren gefressen haben — jemanden besonders mögen
[3] die Kommunion — katholisches Fest der Erstkommunion, feiert den ersten Empfang des Abendmahls, die Mädchen tragen ein festliches weißes Kleid
[4] üppig — verschwenderisch, im Überfluss
[5] die Stube — Zimmer

male Leute gar nicht kennen. So konnte sie im Som-
195 mer früh um drei Uhr aufstehen und durch die leeren Straßen des Städtchens spazieren, das sie so für sich ganz allein hatte. Und den Pfarrer, der sie besuchen kam, um der alten Frau in ihrer Vereinsamung Gesellschaft zu leisten, lud sie, wie allgemein behauptet wur-
200 de, ins Kino ein!
Sie war keineswegs vereinsamt. Bei dem Flickschuster verkehrten[1] anscheinend lauter lustige Leute, und es wurde viel erzählt. Sie hatte dort immer eine Flasche ihres eigenen Rotweins stehen, und daraus trank sie
205 ihr Gläschen, während die anderen erzählten und über die würdigen Autoritäten der Stadt loszogen. Dieser Rotwein blieb für sie reserviert, jedoch brachte sie mitunter der Gesellschaft stärkere Getränke mit.

Sie starb ganz unvermittelt, an einem Herbstnach-
210 mittag in ihrem Schlafzimmer, aber nicht im Bett, sondern auf dem Holzstuhl am Fenster. Sie hatte den „Krüppel" für den Abend ins Kino eingeladen, und so war das Mädchen bei ihr, als sie starb. Sie war vierundsiebzig Jahre alt.
215 Ich habe eine Photographie von ihr gesehen, die sie auf dem Totenbett zeigt und die für die fünf Kinder angefertigt worden war.
Man sieht ein winziges Gesichtchen mit vielen Falten und einen schmallippigen, aber breiten Mund. Viel
220 Kleines, aber nichts Kleinliches. Sie hatte die langen Jahre der Knechtschaft und die kurzen Jahre der Freiheit ausgekostet und das Brot des Lebens aufgezehrt[2] bis auf den letzten Brosamen[3].

9 Spekulation

Wie endet die Geschichte?
Was wird aus der Großmutter?

10 Lesen Sie die Erzählung zu Ende.

In Verbindung mit einer Fotografie der toten Großmutter heißt es, in ihrem Gesicht gebe es „viel Kleines, aber nichts Kleinliches". Was sagt dieser Satz über die Großmutter aus?

- ☐ dass sie im Lauf der Zeit immer kleiner geworden war
- ☐ dass man viele Kleinigkeiten auf dem Foto erkennen kann
- ☐ dass sie zwar ein Mensch von kleiner Gestalt, aber von großzügigem Charakter war

[1] verkehren — ein- und ausgehen, besuchen
[2] aufzehren — aufessen, aufbrauchen
[3] die Brosame — das Brotkrümelchen (bei Brecht maskulin)

11 Fazit

Im Schlusssatz entwirft der Autor ein Bild. Beziehen Sie das Gegensatzpaar „Knechtschaft" und „Freiheit" auf das Leben der Greisin.

AB 31 6–7

12 Wen oder was kritisiert Bertolt Brecht in dieser Erzählung? Erklären Sie.

- ☐ ältere Menschen
- ☐ Leute wie den Flickschuster
- ☐ die kleinbürgerliche Moral

13 Aktualität

Ist die Erzählung „Die unwürdige Greisin" aus dem Jahr 1939 Ihrer Meinung nach heute noch interessant? Sammeln Sie Argumente für Ihren Standpunkt.

Im Grunde ist Literatur doch ...
Ich finde die Erzählung ..., weil ...
Die Erzählung ist meiner Meinung nach immer noch „aktuell" bzw. relevant, da man heute ...
Die Verhältnisse aus der Erzählung lassen sich gut / weniger gut auf heutige Situationen übertragen, denn ...

AB 32 8–9

SCHREIBEN

1 Ältere Menschen – wie sollen sie leben?

Lesen Sie zwei Meinungen zu dieser Frage.

In einem Altersheim kann man seinen Lebensabend bestimmt am allerbesten genießen. Man braucht sich um nichts mehr zu kümmern und hat viele Menschen um sich, die in einer ähnlichen Situation sind.

Leute, die ihre Eltern oder Großeltern im Altersheim unterbringen, sind nur zu egoistisch, sich selbst um sie zu kümmern. Die alten Leute fühlen sich zu Hause bei ihren Angehörigen doch viel wohler.

2 Schriftliche Ausarbeitung eines Referats zu dem Thema

Arbeiten Sie in folgenden Schritten.

Schritt 1 Sammeln Sie Stichworte zu folgenden Fragen.

- Warum besteht die Notwendigkeit oder der Wunsch, in ein Altersheim zu gehen?
- Welche Vorteile haben Altersheime? Für wen?
- Welche Nachteile haben sie? Für wen?
- Wie leben ältere Menschen in Ihrem Heimatland?
- Was würden Sie unternehmen, wenn Ihre Eltern nicht mehr für sich selbst sorgen könnten?

Schritt 2 Gliedern Sie Ihren Text. Beantworten Sie dabei folgende Fragen.

- Mit welchem der Punkte oben leite ich das Referat am besten/interessantesten ein?
- Welche Argumente passen logisch hintereinander?
- Wie bringe ich meine Meinung zum Ausdruck?
- Womit schließe ich mein Referat ab?

Schritt 3 Ausformulieren

a) Setzen Sie die Redemittel zur Einführung neuer Punkte bzw. Argumente richtig zusammen.

Zunächst möchte ich	vergessen, dass ...
Folgende Gründe	also festhalten, ...
Außerdem darf man nicht	aber bedenken, dass ...
Andererseits muss man	folgende Fragestellung erläutern: ...
Abschließend kann man	sprechen dafür/dagegen, ...

b) Streichen Sie in der folgenden Liste die Formen, die weniger gut zu einem Referat passen.

Anrede	*Sehr geehrte Damen und Herren, – Lieber Hans, – Liebe Mitschülerinnen und Mitschüler, – Liebe Kolleginnen und Kollegen, – Hallo, Freunde,*
Anredeform	*Sie – du/ihr*
Register	*emotional – sachlich – polemisch*
Schlusssatz	*Vielen Dank für Ihre/eure Aufmerksamkeit. – So, das war's.*

AB 33 10

3 Verfassen Sie nun Ihren Text.

1 Gegenteile

Ordnen Sie das gegenteilige Adjektiv zu.

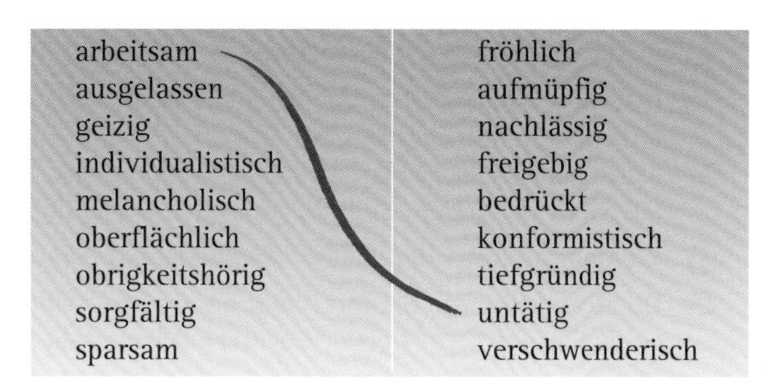

arbeitsam	fröhlich
ausgelassen	aufmüpfig
geizig	nachlässig
individualistisch	freigebig
melancholisch	bedrückt
oberflächlich	konformistisch
obrigkeitshörig	tiefgründig
sorgfältig	untätig
sparsam	verschwenderisch

AB 34 11

GR 2 Charakterisierende Adjektive: positiv – negativ

GR S. 42

Suchen Sie jeweils das Gegenteil zu den folgenden Adjektiven. Bilden Sie die Wörter mit einer der Vorsilben *un-*, *miss-*, *in-*, *ir-*, *a-*, *des-* oder mit einer der Nachsilben *-frei*, *-los*.

angepasst	unangepasst	geschmackvoll	
interessiert		höflich	
kompetent		rational	
kompliziert		religiös	
temperamentvoll		vergnügt	
würdevoll		verständlich	
würdig		vorurteilsbeladen	

AB 34 12–14

GR 3 Vorurteile

Kombinieren Sie die Personen in der mittleren Spalte mit den charakterisierenden Adjektiven in der rechten Spalte. Bilden Sie dann Sätze mit den verschiedenen Artikelwörtern in der Spalte links. Achten Sie auf die richtige Endung der attributiven Adjektive.

Beispiele: *Viele gute Opernsänger sind ziemlich beleibt.*
Die meisten schönen Frauen sind eitel.

Alle	Opernsänger (gut)	unaufrichtig
Die meisten	Kinder (klein)	traditionsverbunden
Viele	Menschen (älter)	eitel
Einige	Schauspieler (beliebt)	eingebildet
Wenige	Männer (jung)	unnahbar
Die wenigsten	Frauen (schön)	draufgängerisch
Zahlreiche	Leute (reich)	frech, ungezogen
Keine	Politiker (bekannt)	beleibt

AB 36 15

4 Klischee oder Wahrheit?

ⓐ Ordnen Sie Adjektive und Partizipien aus den Aufgaben 1 bis 3 bestimmten Nationalitäten oder Personengruppen zu. Sie dürfen hier ruhig etwas provozieren.

Beispiele: *Die Deutschen sind häufig angepasst.*
Viele Russen gelten als melancholisch.
Viele Wissenschaftler sind langweilige Menschen.

ⓑ Diskutieren Sie anschließend darüber, ob die Aussagen zutreffen oder ob es sich nur um eine Klischeevorstellung handelt.

AB 36 16

P 1

Posteraktion gegen Vorurteile

In Schulen, Rathäusern und an anderen öffentlichen Plätzen soll ein Poster aufgehängt werden, das ein Vorurteil gegenüber einer bestimmten Verhaltensweise oder Rolle thematisiert. Eine Werbeagentur wurde beauftragt, dieses Poster zu entwerfen, und hat nun zwei Vorschläge ausgearbeitet.

a Wählen Sie unter den beiden abgebildeten Postern das aus, das Ihnen mehr zusagt.

b Überlegen Sie, wie Sie Ihre Wahl begründen wollen, und suchen Sie eine Gesprächspartnerin / einen Gesprächspartner, die/der das andere Plakat gewählt hat.

c Handeln Sie mit Ihrer Gesprächspartnerin / Ihrem Gesprächspartner aus, welches Poster sich besser dafür eignet, auf Vorurteile aufmerksam zu machen. Beharren Sie dabei nicht unbedingt auf Ihrem Vorschlag.

einen Vorschlag machen und begründen	**sich zu diesem Vorschlag äußern und einen Gegenvorschlag machen**
Also, ich finde das ... Poster sehr geeignet, weil es ...	*Damit magst du / mögen Sie zwar recht haben, aber ich finde ... ansprechender.* *Das Poster mit ... halte ich für (un)geeignet, ...*
Außerdem greift es eine wichtige Thematik auf, nämlich ...	*Ich bin nicht ganz dieser Meinung.* *Was auf dem Poster ... dargestellt ist, trifft doch viel besser ... / kommt mir viel ... / wirklichkeitsnäher vor.*
Besonders gefällt mir daran ...	
Weniger passend scheint mir ... zu sein, denn ...	*Wir sollten vielleicht auch mal überlegen, wen wir damit erreichen wollen. ...*
Im Grunde ist nicht entscheidend, welches Poster wir nehmen, sondern ...	*Wäre es nicht besser, wir würden uns auf ... einigen?*

AB 37 17–18

1 Was ist auf dem Foto abgebildet?

Das Bild gehört zur ersten Szene der *Dreigroschenoper*. Das Theaterstück handelt von dem Existenzkampf, dem Debakel und der glücklichen Errettung des Londoner Straßenräubers und Geschäftsmannes Macheath, genannt Mackie Messer.

2 Hören Sie die erste Strophe der „Moritat von Mackie Messer".

CD | 13

(a) Wie wirken Gesang und Musik auf Sie?
(b) Mit welchem Tier wird Mackie Messer verglichen?
(c) Was für ein Mensch wird er wohl sein?
(d) Wovon könnte im weiteren Liedtext die Rede sein?

3 Liedtext ergänzen

CD | 14

(a) Hören Sie nun die weiteren Strophen des Liedes und ergänzen Sie die fehlenden Wörter.

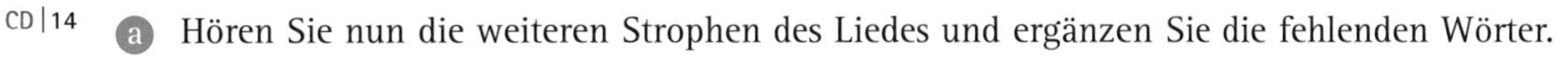

Die Moritat von MACKIE MESSER

1
Und der Haifisch, der hat Zähne
Und die trägt er im Gesicht
Und Macheath, der hat ein Messer
Doch das Messer sieht man nicht.

2
Ach, es sind des Haifischs Flossen
Rot, wenn dieser Blut ......vergießt..........
Mackie Messer trägt 'nen Handschuh
Drauf man keine Untat ....

3
An der Themse grünem Wasser
Fallen plötzlich ....
Es ist weder Pest noch Cholera
Doch es heißt: Macheath ....

4
An 'nem schönen blauen Sonntag
Liegt ein toter Mann ....
Und ein Mensch geht um die Ecke
Den man Mackie Messer ....

5
Und Schmul Meier bleibt verschwunden
Und so mancher ....
Und sein Geld hat Mackie Messer
Dem man nichts ....

6
Jenny Towler ward gefunden
Mit 'nem Messer ....
Und am Kai geht Mackie Messer,
Der von allem ....

7
Wo ist Alfons Glite, der Fuhrherr?
Kommt das je ans ....?
Wer es immer wissen könnte –
Mackie Messer weiß ....

8
Und das große Feuer in Soho
Sieben Kinder und .... –
In der Menge Mackie Messer, den
man nicht fragt und der ....

9
Und die minderjährige Witwe
Deren Namen ....
Wachte auf und war geschändet –
Mackie, welches war ....?

(b) Vergleichen Sie die Wörter, die Sie in jeder Strophe notiert haben.
Was fällt Ihnen auf? Beispiel: *Blut vergießt – keine Untat liest*

4 Der Inhalt des Liedes

(a) Von wem ist jeweils im ersten Teil der Strophen die Rede, von wem im zweiten?
(b) Worin gleicht sich das Schicksal der verschiedenen Personen im Lied?
(c) Was hat Mackie Messer damit zu tun?

5 Was ist Ihrer Meinung nach eine Moritat?

Schlagen Sie den Begriff eventuell in einem deutschsprachigen Lexikon nach.

1 Adjektivbildung

ÜG S. 46

ⓐ ... + Adjektiv

Adjektiv	Beispiel
-arm	blutarm, vitaminarm
-bändig	einbändig, mehrbändig
-bedürftig	hilfsbedürftig, liebesbedürftig
-bereit	einsatzbereit, hilfsbereit
-frei	schmerzfrei
-haft	schmerzhaft
-haltig	vitaminhaltig
-leer	inhaltsleer, luftleer
-los	ereignislos
-reich	ereignisreich, abwechslungsreich, vitaminreich
-sprachig	mehrsprachig
-voll	stilvoll, liebevoll
-wert	empfehlenswert, hörenswert, sehenswert

ⓑ Negation von Adjektiven durch Vorsilben

Vorsilbe	Beispiel
a-/an-	amoralisch, anorganisch
des-/dis-	desinteressiert, disharmonisch
il-/in-/ir-	illegal, inkompetent, irregulär
miss-	missvergnügt
non-	nonverbal
un-	unwürdig

3

2 Adjektivdeklination

ÜG S. 30 ff.

	Nach ...	... wird das Adjektiv dekliniert wie nach dem ...	Beispiel
Singular	dies-, jen-, manch-, jed-, welch-, derjenige, derselbe, folgend-, solch-	bestimmten Artikel.	mit dieser guten Idee, jener alte Mann
	mein-, kein-, irgendein-	unbestimmten Artikel.	mein liebes Haustier, keinen bösen Gedanken
	allerlei, solch, etwas, genug, viel, mehr, wenig, nichts (+ substantiviertes Adjektiv)	Nullartikel.	viel schmackhafter Käse, mit etwas gutem Willen, nichts Besonderes
Plural	diese, diejenigen, dieselben, jene, keine, alle, (irgend-) welche, solche, meine	bestimmten Artikel.	jene neuen Aufgaben, ...
	wenige, andere, einige, einzelne, ein paar, manche, beide, mehrere, etliche, sämtliche, zahlreiche, viele, verschiedene	Nullartikel.	wenige glückliche Menschen, etliche schwierige Fragen

Der gute Ton

4

Welche Verhaltensweisen sind hier dargestellt?

Haben Sie so etwas auch schon einmal erlebt? Berichten Sie.

HÖREN

1 **Sehen Sie sich das Foto an.**
Wo wurde das Foto aufgenommen?

2 CD | 15 **Hören Sie den Anfang einer Unterhaltung zwischen den drei Personen.**

a) Worüber unterhalten sie sich?
b) Was fällt Ihnen bei den Personen auf?
c) Charakterisieren Sie die Personen.
   schnippisch – arrogant – selbstbewusst – charmant – zuvorkommend – zurückhaltend
d) Aus welchen deutschsprachigen Regionen stammen die Personen?
e) Welche Unterschiede können Sie an der Sprechweise feststellen?

3 CD | 16–18 **Hören Sie nun den Rest der Unterhaltung.**
Welche der folgenden Themen werden nicht angesprochen?

- ☐ Rücksichtsloser Nachbar
- ☐ Peinliches Verhalten beim Abendessen
- ☐ Unpassende Kleidung
- ☐ Unterschiede Nord und Süd
- ☐ Unterschiedliche Erwartungen Frauen, Männer
- ☐ Klage über angetrunkene Nachbarn
- ☐ Strenge Tischsitten früher

4

4 CD | 15–18 **Hören Sie das Gespräch noch einmal in Abschnitten.**
Notieren Sie Stichpunkte.

Abschnitt 1 **Benimmfehler**
a) Welche „Benimmfehler" beging der Mann, mit dem die Österreicherin essen war? ______
b) Was störte sie am meisten? ______
c) Ihre Bekannte beklagt sich über ihren Nachbarn. Nennen Sie drei Gründe. ______

Abschnitt 2 **Regionale Unterschiede**
d) Was ist in Süddeutschland, Österreich, der Schweiz in Bezug auf ... üblich, im Norden eher nicht? ______

Abschnitt 3 **Angemessenes Verhalten**
e) Was ist für den Herrn aus der Schweiz oft schwer zu erkennen?
______
f) Aufdringlich wäre für die Dame aus Österreich ______
g) ... für die Dame aus Norddeutschland ______
h) Welche zwei Reaktionen nennt die Österreicherin auf den Handkuss?
______

Abschnitt 4 **Tischsitten früher und heute**
i) Der Schweizer erzählt über strenge frühere Tischsitten wie z. B.
______
k) Die Unterhaltung endet damit, dass der Herr ______

AB 42 2–3

5 **Eine vergleichbare Situation in Ihrem Heimatland.**
Was wäre ähnlich, was anders?

LESEN 1

1 **Benimmregeln**

a Welche wichtigste Regel haben Sie von Ihren Eltern gelernt?

b Gibt es eine Regel, die speziell für Ihr Land typisch ist? Welche?

2 **Lesen Sie die „Benimm-Tipps für Profis" und ordnen Sie sie in Themengruppen.**

Kommunikation	Tischsitten	Grüßen/Vorstellen	Einladungen
			1

1 Abendessen — Zu einem Dinner sollte man immer pünktlich sein.

2 Anstandshappen — Auch wenn Sie noch hungrig sind, sollten Sie Ihren Teller bei Einladungen niemals komplett leer essen.

3 Anstoßen — Nur mit Wein, Champagner oder Sekt, nicht aber mit Bier, Longdrinks oder gar Latte macchiato. Vornehmer ist, das Glas lediglich anzuheben und sich zuzunicken.

4 Aufstehen — Heutzutage ist es in der Jobwelt selbstverständlich, dass sich auch Frauen zur Begrüßung erheben.

5 Büfett — Das Auge hungert oft mehr als der Magen. Daher niemals den Teller überladen – lieber noch ein zweites oder auch drittes Mal nachnehmen.

6 Codes — c.t. (cum tempore) auf der Einladungskarte bedeutet „Verspätung erlaubt", s.t. (sine tempore): „Pünktlichkeit ist Pflicht".

7 Diskretion — Da gilt weiter die alte Regel: Über Geld spricht man nicht. Außerdem verpönt: brisante Themen wie Politik, Religion oder Persönliches wie Krankheiten oder Todesfälle.

8 Faustregel — Je fremder die Personen in der Runde, je offizieller der Rahmen, desto wichtiger ist es, die traditionellen Tischsitten zu kennen – und natürlich auch zu praktizieren.

9 Goldene Regel — Wichtig ist beim Small Talk immer, echtes Interesse statt Neugierde und Wertschätzung statt Kritik zu zeigen.

10 Gruß — Bei privaten Begegnungen grüßt immer der, der dazukommt oder den anderen zuerst sieht. Wer sich in Restaurants mit an den Tisch setzt oder ein Wartezimmer beim Arzt betritt, sollte grüßen.

11 Handy — Lautes Telefonieren in der Öffentlichkeit ist mehr als unhöflich.

12 Hilfsbereitschaft — Generell gilt: Er hilft ihr, die jüngere hilft der älteren Person.

13 Hinterhalt — Nie eine Person von hinten ansprechen, erst Blickkontakt suchen, dann auf den anderen zugehen.

14 Körpersprache beim Essen — Die Ellenbogen liegen nicht auf dem Tisch. Nie Messer ablecken, nicht schmatzen oder mit vollem Mund sprechen.

15 Mafiatorte — Wie Pizza am Stehimbiss gegessen wird, liegt wortwörtlich auf der Hand. Geht es feiner zu, sollte man die Fingervariante unterlassen.

16 Nachschub — Man lässt sich von den anderen Gästen am Tisch Dinge reichen und greift nicht über den Teller des Tischnachbarn hinweg.

17 Niesen — Benutzen Sie entweder ein Taschentuch oder die linke Hand. „Gesundheit" zu wünschen ist heute passé.

18 Schluss per SMS — Von wegen kurz und schmerzlos – elektronische Trennungsgrüße sind stillos!

4

19 Small Talk	Sicher sind klassische Konversationsthemen: Gemeinsames, Erfreuliches aus aller Welt. Essen und Trinken, Reisen und Freizeit.
20 Smileys	Bitte nur in privaten Nachrichten verwenden.
21 SMS bekommen	Wenn Ihr Handy piepst, sollten Sie die eingegangene Kurzmitteilung sofort lesen, auch wenn Sie in Gesellschaft sind.
22 SMS verfassen	Unhöflich ist es, SMS in Gegenwart von anderen Personen zu verfassen oder alle paar Sekunden nachzuschauen, ob eine angekommen ist.
23 Start	Man beginnt erst mit dem Essen, wenn alle ihr Gericht haben, und bleibt sitzen, bis auch der Letzte am Tisch fertig ist.
24 Stimme	Sprechen Sie freundlich und deutlich. Patzige Antworten oder gar Stoßseufzer bitte verkneifen.
25 Uhrzeit	Bei einer Party können Sie ruhig ein, spätestens zwei Stunden nach Beginn erscheinen.
26 Vorstellen	Der Dame wird der Herr zuerst vorgestellt, dem Älteren der Jüngere, dem Professor der Rangniedrigere.
27 Wein	Wenn der Gastgeber zur Feier des Tages einen besonders guten Wein serviert, sollten Sie Ihr Glas leeren, bevor Sie den Tisch verlassen.
28 Wetter	Ein Thema, das sich im Small Talk fast immer bewährt. Versuchen Sie sich ruhig in meteorologischen Betrachtungen.

4

3 Falsche herausfinden

Drei Regeln sollten Sie nicht befolgen. Welche?

4 Erklärungen

Setzen Sie sich in Gruppen zusammen. Greifen Sie zwei bis drei Regeln heraus und erklären Sie, warum man sich so verhalten soll.

Beispiel: *Nr. 11 Handy. Lautes Telefonieren in der Öffentlichkeit ist mehr als unhöflich.*
In Gegenwart von fremden Menschen führt man Zweier-Gespräche, egal ob es ein geschäftliches oder privates Telefonat oder ein Gespräch mit einem Anwesenden ist, immer so, dass andere nicht mithören müssen und nicht davon gestört werden. Aus Diskretion und Rücksicht.

5 Welche der Regeln gelten nicht in Ihrem Land? Warum?

GR 6 Regeln formulieren

Suchen Sie im Text sprachliche Formen, mit denen man Regeln formulieren kann. Ergänzen Sie je ein weiteres Beispiel aus dem Text.

Infinitivstil	persönlich	unpersönlich	Passiv
Smileys bitte nur in privaten Nachrichten verwenden.	Bitte verwenden Sie Smileys nur in privaten Nachrichten.	Smileys verwendet man nur in privaten Nachrichten.	Smileys werden nur in privaten Nachrichten verwendet.

AB 44 4–6

Machen Sie einen Test für Ihre Kurskollegen. Dazu teilen Sie sich in möglichst viele Zweiergruppen. Arbeiten Sie in Schritten.

Schritt 1

Themen auswählen

Bei welchem der folgenden Bereiche ist falsches Verhalten besonders schädlich? Wählen Sie drei bis vier aus.

- ☐ Grüßen (z. B. zwischen Älteren und Jüngeren, Männern und Frauen)
- ☐ Pünktlichkeit (z. B. bei privaten oder geschäftlichen Verabredungen)
- ☐ Einladungen (z. B. Was bringt man als Geschenk mit?)
- ☐ Kommunikation (z. B. per Handy oder E-Mail)
- ☐ Tischmanieren (z. B. Wie isst man eine Pizza, Spargel, Kartoffeln?)
- ☐ Den Esstisch decken (Was gehört wohin? Zum Beispiel Salatteller, Gläser, Besteck)
- ☐ Getränke (Welche passen zu welcher Gelegenheit? Zum Beispiel Bier, Sherry, Sekt)
- ☐ Kleidung (z. B. Hüte, bei Beerdigungen)

Schritt 2

Situationen formulieren

Beispiel: Tischmanieren

Überlegen Sie sich eine Situation:
Womit bzw. wie isst man Pizza, Fleisch, Reis?
Stößt man beim Trinken mit den anderen an?
Welche Getränke passen zu ...?

Schritt 3

Auswahlantworten formulieren

Formulieren Sie zu jeder Situation nun drei möglichst plausibel klingende Auswahlantworten.

a) *Pizza darf in jeder Umgebung mit der Hand gegessen werden.*

b) *Pizza isst man grundsätzlich mit Messer und Gabel.*

c) *Pizza isst man, je nachdem, wie vornehm die Umgebung ist, mit Besteck oder mit der Hand.*

Schritt 4

Lösung angeben

Welche Antwort ist die richtige, a oder b oder c? Warum?
Überprüfen Sie, ob Ihre Auswahlmöglichkeiten wirklich eindeutig sind.

Schritt 5

Test zusammensetzen

Kleben Sie die Testaufgaben aller Gruppen auf gemeinsame Blätter.
Nummerieren Sie durch.
Der Kursleiter sammelt die Lösungen auf einer Folie „Auflösung".

Schritt 6

Test ausprobieren und auswerten

Geben Sie nun die Testaufgaben im Kurs aus. Pro Aufgabe geben Sie eine Minute Zeit.
Vergleichen Sie anschließend Ihre Antworten mit der Folie „Auflösung".
Ermitteln Sie den Testsieger.

1 Formelle Briefe

Zu welchem Anlass schreiben Sie formelle Briefe?

2 Höflichkeit

a Unterstreichen Sie in dem Brief höfliche Ausdrucksweisen.

Sehr geehrte Frau Dr. Perlmann,

für Ihren freundlichen Empfang und Ihre wertvollen Informationen danke ich Ihnen noch einmal sehr herzlich. Es tut mir sehr leid, dass ich aufgrund eines Verkehrsstaus zu spät zu dem vereinbarten Termin eintraf.
In der Anlage darf ich Ihnen noch nachträglich ein kleines Souvenir aus meiner Heimat schicken.
Ich würde mich freuen, wenn es Ihnen etwas Spaß macht.

Mit freundlichen Grüßen
Ihr Alberto Olmedo

P.S.: Leider habe ich das Skript Ihres Vortrags nicht mehr, ich habe es an eine interessierte Kollegin weitergegeben. Wären Sie so freundlich, mir bei Gelegenheit eine weitere Kopie zu schicken?

b Ergänzen Sie Beispiele aus dem Brief in dem Kasten unten. Kennen Sie weitere Beispiele?

formelle Anrede	Sehr geehrte Frau Dr. Perlmann,
Dank	
Entschuldigung	
Mitteilung	
Aufforderung/Bitte	

3 Stilwandel

Lesen Sie die Beispiele für Änderungen des Stils formeller Briefe und ordnen Sie die folgenden Stichworte zu: ~~konkreter Betreff~~ – ~~Fettdruck~~ – höfliche Bitte – Beginn positiv formulieren – Sie-Stil statt Wir-Stil – Aktiv statt Passiv

früher	heute	Veränderung
a Reklamation	**Reklamation zur Pauschalreise Bayerischer Wald**	konkreter Betreff Fettdruck
b Bezug nehmend auf Ihr Schreiben vom	vielen Dank für Ihr Schreiben ...	
c Wir schicken Ihnen folgende Unterlagen:	Sie erhalten folgende Unterlagen: ...	
d Von Ihrer Zweigstelle wurde uns eine Rechnung geschickt, ...	Ihre Zweigstelle hat uns eine Rechnung geschickt, ...	
e Wir bitten um Zusendung Ihres Katalogs.	Bitte schicken Sie mir Ihren Katalog. Vielen Dank.	

4 Dankesschreiben

Sie waren zusammen mit anderen Bewerbern zu einem Empfang mit Abendessen bei Ihrem zukünftigen Chef eingeladen. Dabei haben Sie eine Tasche mit wichtigen Unterlagen an der Garderobe zurückgelassen. Bedanken Sie sich schriftlich und bitten Sie um Nachsendung der Unterlagen.

AB 45 7

1 Begrüßungen

ⓐ Auf den Bildern sind drei Arten der Begrüßung dargestellt, die in deutschsprachigen Ländern üblich sind.
Welche davon sind sehr formell – informell – intim?
Wer begrüßt wen so?

ⓑ Wie sehen Begrüßungen bei Ihnen aus?

ⓒ Haben Sie schon einmal eine unangenehme Erfahrung bei der Begrüßung gemacht?

ⓓ Sind Anweisungen zur richtigen Begrüßung sinnvoll, wenn man in Ihre Heimat reist? Warum (nicht)?

2 Du und Sie

ⓐ Wie viele Formen gibt es in Ihrer Sprache?

ⓑ Wie sieht die Verbindung von Vornamen/Nachnamen aus?

ⓒ Warum gibt es in manchen Sprachen mehr als eine Form?

3 Was passt für die deutsche Sprache zusammen?

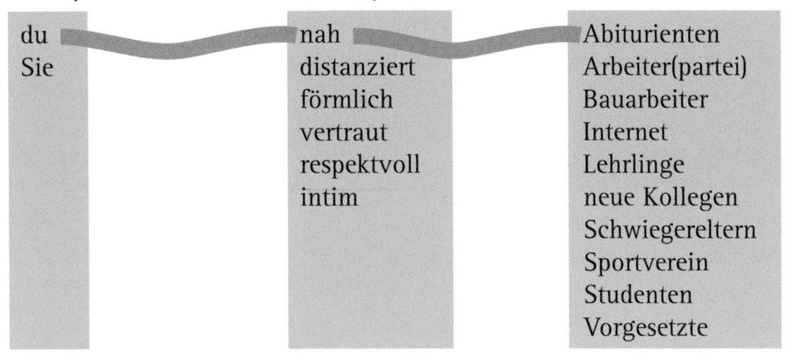

du	nah	Abiturienten
Sie	distanziert	Arbeiter(partei)
	förmlich	Bauarbeiter
	vertraut	Internet
	respektvoll	Lehrlinge
	intim	neue Kollegen
		Schwiegereltern
		Sportverein
		Studenten
		Vorgesetzte

4

4 Beratungsgespräch

Setzen Sie sich zu viert zusammen. Jeweils zwei Gesprächspartner sind die „Experten", die anderen beiden sind die Ratsuchenden.

Die beiden Ratsuchenden wollen als Geschäftsreisende in die Länder der „Experten" reisen. Sie werden dort in folgende Situationen kommen:

- ☐ Abendessen bei einem Geschäftspartner zu Hause
- ☐ Besichtigung der Büro- und Geschäftsräume ihrer Geschäftspartnerin
- ☐ Museumsbesuch mit einer Sekretärin
- ☐ Verabredung zum Tennis mit einer Mitarbeiterin
- ☐ Party bei ehemaligen Studienfreunden ...

Die Ratsuchenden überlegen, was Sie in einer dieser Situationen verunsichert. Die Experten formulieren einen Rat.

Bei unbekannten Personen, die älter sind als man selbst, sollte man ...
Unbekannte Personen, die jünger sind als ... Jahre, kann man mit ... ansprechen.
Wenn man jemanden (nicht) gut kennt, sollte man ...
Eine Frau spricht man ... an.

AB 46 8

5 Präsentieren Sie im Kurs einige unerwartete Ergebnisse.

LESEN 2

1 Was denken oder wissen Sie über ... ?

- **das deutsche Brot**
- **die deutsche Musik**
- **die deutsche Pünktlichkeit**
- **Service in Deutschland**
- **deutsche Autofahrer**
- **die deutsche Höflichkeit**

Sprechen Sie in kleinen Gruppen über eines dieser Themen.
Berichten Sie über die interessantesten Aspekte in der Klasse.

2 Eine Rede

Lesen Sie nun die folgenden Auszüge aus einer Rede des Gesandten der Britischen Botschaft in Deutschland, Robert Cooper. Er hielt diese Rede anlässlich eines Jahrestreffens der Deutsch-Englischen Gesellschaft.
Ergänzen Sie Überschriften zu den Absätzen. Verwenden Sie dazu die Stichworte aus Aufgabe 1.

Ich habe oft erlebt ...

Ich habe oft erlebt, dass deutsche Zuhörer eine fundierte pessimistische Rede besonders schätzen, die Geschichte einer drohenden Katastrophe etwa oder die Erläuterung, wie schlimm eine bestimmte Situation ist und dass alles nur noch schlimmer werden kann. Solche Themen scheinen sehr populär zu sein. Als ich gefragt wurde, worüber ich diesmal reden werde, hörte ich deutlich heraus, dass man nicht so sehr daran interessiert war, was mir an Deutschland gefiel. Vielmehr erhofften sie sich einige niederschmetternde Negativurteile über ihr Land. Solche Erwartungen muss ich leider enttäuschen. Während der Vorbereitung habe ich entdeckt, dass es mir viel leichter fällt, über Dinge zu sprechen, die ich an Deutschland liebe, als über Eigenschaften, über die ich mir, vorsichtig ausgedrückt, nicht ganz so sicher bin.

...........das deutsche Brot...........

Von Anfang an war mir klar, was das Beste an Deutschland ist – oder zumeist eins vom Besten: das Brot nämlich. Vielleicht findet es das Land der Dichter und Denker enttäuschend, dass ein Fremder ausgerechnet seine Brotsorten über alles schätzt. Doch sollte man bedenken, wie wichtig das Essen in unserem Leben ist. Gedichte und Gedanken sind gut und schön, aber man kann sie nicht dreimal am Tag essen. Man kann auch nicht 83 Kilo Gedichte pro Jahr verspeisen.
Brot ist etwas Besonderes. Und es ist auch wahr, dass das deutsche Essen als Ganzes wie Brot ist. Es sind die einfachen, oft billigen Dinge, die die besten sind. Biergärten mit Bratwürsten, Weinstuben mit Bratkartoffeln, Märkte mit frischem Gemüse. Die Würste sind, natürlich, etwas Spezielles. Das Bier auch. Es gibt auch eine Menge guten Wein, doch das Bier ist wirklich etwas Besonderes, wie das Brot.

....

Ich möchte jenen Satz zitieren, der zurzeit mein Lieblingssatz ist – er stammt von Thomas Mann: *„Wie ich hier vor Ihnen stehe, ein Siebzigjähriger, unwahrscheinlicherweise amerikanischer Bürger seit einigen Monaten schon, englisch redend, oder doch bemüht, es zu tun, als Gast, nein, sogar als amtlicher Zugehöriger eines amerikanischen Staatsinstituts, das Sie zusammengeladen hat, mich zu hören – wie ich hier stehe, habe ich das Gefühl, daß das Leben aus dem Stoff ist, aus dem Träume gemacht sind."* Es ist wohl diese Fähigkeit, mit Komplexität umzugehen und dabei einen Faden, ein Thema durchzuhalten, auch durch Abweichungen und untergeordnete Sätze hindurch, die unter anderem erklärt, weshalb die bedeutendsten Kompositionen der Welt von deutschsprachigen Musikern stammen. Zumindest in England wird der Gegensatz deutlich: Da bevorzugen wir zunehmend kurze Sätze. Vielleicht sind wir deshalb so gut in der Rockmusik, die ja aus Soundbites besteht – leicht zu merken, schnell zu vergessen.
Eine bessere Erklärung ist, vielleicht, diese von Thomas Mann: *„Musik ist die abstrakteste Kunstform. Und die Deutschen sind die Meister der Abstraktion. Heine sagt: Franzosen und Russen gehört das Land, / Das Meer gehört den Briten, / Wir aber besitzen im Luftreich des Traums / Die Herrschaft unbestritten."*

....

Verkäufer in Deutschland verstehen im Allgemeinen ihren Job. Sie können genau erklären, welche sechs Getreidesorten im Sechskornbrot enthalten sind, aber manchmal vermitteln sie den Eindruck, dass sie dem Käufer einen Gefallen tun, wenn sie ihm etwas verkaufen. Es gibt auch andere Bereiche, in denen ich zu erkennen glaube, dass der Kundendienst keine Priorität hat. So sind zwar die Angestellten in der Bank sehr hilfsbereit, aber das ganze Banksystem scheint nicht gerade geeignet, einem das Leben einfacher zu machen.

....

Es ist schwierig, etwas Negatives über den Rhein zu sagen. Aber weil der Rhein eine so wichtige Verkehrsader ist, möchte ich hier die Gelegenheit ergreifen und sagen, dass ich manchmal glaube, dass Deutsche viel netter sind, wenn sie nicht in ihrem Auto sitzen. Wenn ich durch die Stadt gehe, jemanden im Büro besuche oder bei einem Essen bin, finde ich die Deutschen im Allgemeinen höflich, tolerant und rücksichtsvoll. Wie aber kommt es, dass man unter Autofahrern viele trifft, die das genaue Gegenteil sind? Ich habe gehört, dass jedes Land seine eigene Auffassung von Freiheit hat. (...)
In Deutschland bedeutet Freiheit das Recht, auf der Autobahn zu rasen. Im Grunde verblüfft es mich, dass die Raserei nicht als Grundrecht in der Verfassung verankert ist. Manche Deutsche scheinen, sobald sie im Auto sitzen, alle Maßstäbe der Zivilisation zu verlieren, die Deutschland so liebenswert machen.

....

Die Züge sind nicht immer so pünktlich, wie die Deutsche Bundesbahn es gerne hätte, aber insgesamt funktioniert das System ganz gut. Und vor allem: Die Menschen sind pünktlich. Wenn man einen Termin um 10.30 Uhr hat, dann ist man auch um 10.30 Uhr da. Man könnte es auch als unflexibel bezeichnen, aber es spart doch eine Menge Zeit, und Pünktlichkeit scheint eine Grundform der Höflichkeit zu sein.

....

Ich finde überhaupt, dass die Deutschen ein sehr höfliches Volk sind, doch haben sie im Ausland nicht diesen Ruf. Das mag daran liegen, dass man Höflichkeit hier anders versteht: Wenn man in Großbritannien zu jemandem „Hallo" oder „Auf Wiedersehen" sagen würde, mit dem man in den Lift gestiegen ist, wäre das ein Schock – man ist sich ja nicht vorgestellt worden.
Deutschland ist Europas bestgehütetes Geheimnis. Es gibt eine Verschwörung zwischen Ignoranten im Ausland und Pessimisten in Deutschland, die verheimlichen wollen, wie attraktiv dieses Land ist. Ich bin für Pessimismus, er ist etwas Positives, das Gegenteil von Selbstzufriedenheit. Aber er kann für Ausländer sehr irreführend sein. Sie sollten sich selbst ein Bild von Deutschland machen.

3 Über die Deutschen

Was ist nach Ansicht des Redners positiv, was negativ an Deutschland? Welche Beispiele gibt er? Ergänzen Sie die folgende Übersicht.

positiv	Beispiel
das Essen	Brot, Bier besonders gut

negativ	Beispiel

4 Die Deutschen im Vergleich

Vergleichen Sie Ihre eigenen Einschätzungen (Aufgabe 1) mit denen des Redners.
Wo liegen die Unterschiede und die Gemeinsamkeiten?

P 5 Lesen Sie die folgende Textzusammenfassung.

In der Zusammenfassung finden sich vier Fehler. Welche? Markieren Sie.

In seiner Rede lobt Robert Cooper die Vielfalt und Qualität deutscher Käsesorten, die Würste, das Bier und überhaupt das einfache, aber schmackhafte Essen. Deutsche Gedankengänge hält er dagegen für oftmals kompliziert. Darin sieht er jedoch nichts Schlechtes. Im Gegenteil: Ihre Befähigung zu höchster Abstraktion habe es deutschen Malern erst ermöglicht, die bedeutendsten Werke der Kunstgeschichte zu schaffen. Cooper findet Deutschland attraktiv und seine Bewohner höflich, tolerant, rücksichtsvoll und pünktlich. Natürlich gibt es auch Kritikpunkte. Dass sich viele Verkäufer zu wenig um ihre Kunden bemühen, beispielsweise. Dass viele Deutsche so sehr zur Selbstzufriedenheit neigen. Oder dass sich so mancher nette Deutsche in einen Raser verwandelt, sobald er hinter dem Steuer seines Wagens sitzt. Im Großen und Ganzen aber, urteilt Cooper, ist Deutschland viel besser als sein Ruf. Zuletzt warnt er Ausländer davor, sich dazu vor Ort ein eigenes Bild zu machen.

6 Merkmale einer Rede

Woran erkennen Sie, dass es sich bei diesem Text um eine Rede handelt?
Welche Textmerkmale würden Sie in einem schriftsprachlichen Text nicht finden?
Geben Sie Beispiele.

4

GR 7 Das Wort *es*

Gr S. 54

a Unterstreichen Sie im Text alle Sätze, in denen das Wort *es* vorkommt.
Bilden Sie vier Gruppen. Jede Gruppe bearbeitet zwei Abschnitte.

b Ordnen Sie die Sätze in folgende Übersicht ein.

es			
als Pronomen	als Bestandteil eines Verbs/verbalen Ausdrucks	als zweite Nominativergänzung des Verbs *sein*	als Repräsentant für einen Nebensatz oder Infinitivsatz
… oder doch bemüht, es zu tun, als Gast, nein, – sogar als amtlicher Zugehöriger … (Zeile 41)	Es gibt auch andere Bereiche, in denen … (Zeile 69)	Es sind die einfachen, oft billigen Dinge, die die besten sind. (Zeile 29)	Vielleicht findet es das Land der Dichter und Denker enttäuschend, dass … (Zeile 20)

AB 47 9–10

GR 8 Die Funktion von *es*

a Sehen Sie sich die erste Spalte an.
Welche Funktion hat das Wort *es* hier? Kreuzen Sie an.
☐ *es* ersetzt ein Wort oder einen Ausdruck.
☐ *es* ist die Ergänzung eines Adjektivs.

b Sehen Sie sich die zweite Spalte an. *es* ist hier ein Bestandteil des Verbs / verbalen Ausdrucks. Welche obligatorischen Ausdrücke mit *es* kennen Sie? Machen Sie eine Liste.
Beispiele: *es gibt, es tut mir leid, es regnet*

c Sehen Sie sich die dritte Spalte an. Formulieren Sie die Sätze so um, dass *es* nicht am Satzanfang steht.
Beispiel: *Die einfachen, oft billigen Dinge sind es, die die besten sind.*

d Sehen Sie sich die vierte Spalte an. Beginnen Sie die Sätze jeweils mit dem zweiten Satzteil. Beispiel: *Dass ein Fremder …*
Was passiert mit *es*?

AB 47 11–12

1 Verben

a Ordnen Sie die folgenden Verben in Gruppen.

debattieren – plaudern – flüstern – brüllen – diskutieren – labern – schwafeln – kreischen – schimpfen – sich unterhalten – quatschen – schwätzen – wispern – nörgeln – meckern – schreien – plappern – grölen – rufen

sich austauschen	über Belangloses sprechen	laut/leise sprechen	Kritik äußern
debattieren			

b Welche dieser Verben könnten umgangssprachlich sein? AB 48 13

2 Welche Verben passen?

Ordnen Sie zu.

eine Geschichte – ein Fußballspiel – von einem Ereignis – mit einem Freund

erzählen – sagen – reden – sprechen – berichten – mitteilen – kommentieren

eine Neuigkeit – die Wahrheit – eine Sprache AB 48 14

3 Redewendungen und Sprichwörter

Fügen Sie in die Sätze **a** bis **g** die passenden Redewendungen ein.

reden, wie einem der Schnabel gewachsen ist

Reden ist Silber, Schweigen ist Gold.

wie ein Wasserfall reden

nicht auf den Mund gefallen sein

um den heißen Brei herumreden

einem das Wort im Mund umdrehen

kein Blatt vor den Mund nehmen

a Er sagt nie, was er meint, er ______ .
b Er sagt jedem immer gleich seine Meinung. Er nimmt kein Blatt vor den Mund .
c Franz spricht und spricht und spricht, er ______ .
d So habe ich das nicht gesagt, da hast du mir mal wieder ______ .
e Ihm fällt aber auch immer irgendeine Antwort ein. Er ist wirklich ______ .
f Ich habe wieder viel zu viel geredet. Schon meine Oma hat gesagt: ______ .
g Gaby denkt nicht lange nach, bevor sie etwas sagt, sie ______ . AB 48 15

1 *es:* obligatorisch

ÜG S. 50

Auch wenn der Satz umgestellt wird, kann man *es* nicht weglassen.

a *es* als Pronomen

es kann als Pronomen für ein Nomen, ein Adjektiv bzw. Partizip oder einen Satz stehen.

es ersetzt	Beispiel
ein Nomen und steht im Nominativ	*Das Buch von Tucholsky interessiert mich. Es ist sehr humorvoll und ironisch geschrieben.*
ein Nomen und steht im Akkusativ - nicht in Pos. 1	*Das Buch von Tucholsky gefällt mir. Ich werde es mir kaufen.*
ein Adjektiv oder Partizip	*Cooper findet die deutschen Autofahrer rücksichtslos. Viele sind es auch wirklich.*
einen ganzen Satz	*Viele Leute schwärmen von den vielen Brotsorten hier. Ich tue es auch.*

b *es* als Bestandteil eines verbalen Ausdrucks

Das Wort *es* übernimmt die Funktion einer Nominativ- oder Akkusativergänzung.

es als	Beispiel
Ersatzsubjekt bei Verben	
■ des Befindens	*es geht ihr schlecht, mir gefällt es, es friert mich, es schmeckt*
■ der Themeneinleitung	*es gibt, es handelt sich um, es geht um, es kommt darauf an*
■ der Witterung	*es regnet, es schneit, es hagelt, es blitzt, es donnert*
■ für Geräusche	*es klopft, es klingelt, es kracht, es pfeift, es rauscht*
Akkusativergänzung – nicht in Pos. 1.	*Er macht es sich leicht. Sie meint es gut mit ihm. Wir lassen es darauf ankommen. Manche Leute haben es immer sehr eilig.*
zweite Nominativergänzung beim Verb *sein*	*Er war es./Er war's. Es sind die kleinen Dinge, die ihm gefallen. Es muss nicht immer Kaviar sein. Kaviar muss es nicht immer sein.*

2 *es:* nicht obligatorisch

es fällt bei Variation der Satzstruktur weg.

a *es* als Repräsentant für einen Nebensatz oder Infinitivsatz

es als Repräsentant für einen	Beispiel	Variation ohne *es*
dass-Satz	*Es ist wahr, dass die Deutschen gern Negatives über sich hören.*	*Dass die Deutschen gern Negatives hören, ist wahr.*
indirekten Fragesatz	*Es ist fraglich, ob seine Rede das Publikum beeindruckt.*	*Ob seine Rede das Publikum beeindruckt, ist fraglich.*
Relativsatz	*Es interessiert mich, was er dazu gesagt hat.*	*Was er dazu gesagt hat, interessiert mich.*
Infinitivsatz	*Ich habe es satt, immer nachzugeben.*	*Immer nachzugeben habe ich satt.*

b Stilistisches *es* am Satzanfang

es	Beispiele	Variation ohne *es*
zur Hervorhebung eines Satzgliedes	*Es sind viele Fans des Fußballklubs da. Es kommen noch weitere.*	*Viele Fans des Fußballklubs sind da. Weitere kommen.*
in Passivsätzen	*Es wird nicht über Geld gesprochen. Es wird nicht mit Wein angestoßen.*	*Über Geld wird nicht gesprochen. Mit Wein wird nicht angestoßen.*

4

Was sehen Sie auf den Fotos?

Was ist hier wohl passiert? Erklären Sie die Situation.
Beschreiben Sie die Körperhaltung.
Wie fühlen sich die Personen?
Was versteht man unter Körpersprache?

AB 52 2

5

1 **Welche Probleme hat diese Frau? Warum wohl?**

Das bricht einem das Kreuz

Wenn der Rücken Probleme bereitet, ist für den Schmerz neben psychischen Belastungen auch eine ungesunde Körperhaltung verantwortlich.

Die Seele kann krank machen, aber auch heilen.

Was die Seele mit dem Rücken macht

In unserer Alltagssprache finden sich zahlreiche Redewendungen, die ausdrücken, wie eng Körper und Seele verbunden sind. So finden wir etwas, 5 das uns komplett missfällt, „zum Kotzen". Eine besondere Rolle bei dieser bildlichen Sprache spielt der Rücken: Wir sprechen vom „Rückgrat, das jemandem gebrochen wurde".

Das ist kein Zufall. Unsere äußere Haltung ist das Spiegel- 10 bild des inneren Zustandes. Die Wirbelsäule übernimmt dabei die Funktion eines zentralen Organs, das Empfindungen auch ohne Worte ausdrücken kann. So empfängt zum Beispiel der glückliche Weltmeister stolz und aufrecht seine 15 Medaille – während der enttäuschte Verlierer die Schultern hängen lässt und zu Boden blickt. Diese Vorgänge laufen meist unbewusst ab.

20 Die perfekte menschliche Alarmanlage heißt Psyche. Sie arbeitet schon ab der Geburt, gehört sozusagen zur Serienausstattung des Menschen. Wann immer durch ungelöste Konflikte, unterdrückte 25 Gefühle oder angestaute Aggressionen die Belastungsgrenze erreicht ist, greift sie ein – zuverlässig und wartungsfrei. Dabei hat sie das Gedächtnis eines Elefanten: Nichts gerät in Vergessenheit, höchstens werden Konflikte 30 vorübergehend ins Unterbewusstsein verdrängt. Einmal abgetaucht, drücken sie jedoch weiter aufs Gemüt und kommen deshalb zum Beispiel als Rückenschmerz wieder zum Vorschein. Der körperliche Schmerz steht dann stellvertretend für 35 die nicht mehr wahrgenommene seelische Pein.

Welcher Teil des Rückens Probleme bereitet, hängt unter anderem von dem Grund für die ungünstige Körperhaltung ab. Probleme haben ihre Ursache zum Beispiel nicht sel- 40 ten in einer starken Anspannung der Muskeln, bedingt etwa durch Dauerstress wegen beruflicher oder privater Überlastung. Durch den erhöhten Druck bricht schließlich der äußere Ring der Bandscheibe auf und der innere Kern schiebt sich gegen die seitlich vorbeilaufenden Nerven vor 45 – fertig ist der klassische Bandscheibenvorfall. Solch ein „Vorfall" ist eine Warnung und eine Art Sicherheitsventil, das gefährlichen Überdruck ablässt. Im Klartext bedeutet das: Der Betroffene ist zwar außer Gefecht gesetzt – aber auch von aller Last befreit und damit vorerst vor einer 50 noch ernsthafteren Gesundheitsgefährdung sicher.

Psychosomatisch ausgebildete Ärzte gehen davon aus, dass die Seele krank, aber auch gesund machen kann. Allerdings hilft in solchen Fällen eine einfache Auszeit meist nicht. Mit 55 Tabletten ließen sich zwar die Rückenschmerzen behandeln. Doch ist das nicht immer der empfehlenswerte Weg, denn solange der dahinterstehende Konflikt nicht aus der Welt ist, tauchen die 60 Beschwerden immer wieder auf. Psychosomatiker betrachten deshalb nicht nur das Symptom einer Erkrankung, sondern auch die Seele der Patienten. Diese lernen in Gesprächen, sich selber besser zu verstehen und die tie- 65 feren Ursachen ihrer Erkrankung gemeinsam mit dem Arzt zu ergründen. Die Folgen: weniger Medikamente, weniger Arztbesuche, weniger Krankenhausaufenthalte – mehr Lebensqualität. 70

P 2 **Ergänzen Sie die fehlenden Informationen in dieser Zusammenfassung.**

Körper und Seele sind eng miteinander (1) verbunden. Wenn Menschen (2) ______________ Konflikte haben, dann macht sich das oft körperlich bemerkbar. Deshalb kann man zum Beispiel viel an der Haltung des (3) ______________ ablesen. Wenn ein junger, aktiver Mensch stark gebeugt geht, ist das oft ein Zeichen für ein (4) ______________ Problem. Viele Menschen leiden heutzutage unter Rückenschmerzen, weil sie im Alltag viel (5) ______________ aushalten müssen. Ohne es zu merken, spannen sie dabei dauernd bestimmte (6) ______________ an, was schließlich zu einem Bandscheibenvorfall führt. Durch diese (7) ______________ wird der Betroffene aus der Stress-Situation herausgeholt und zur Entspannung gezwungen. Für die Behandlung eines solchen Patienten ist die Erkenntnis von großer Bedeutung, dass es sich nicht allein um eine (8) ______________ Erkrankung handelt. Ein guter Therapeut versucht, die wahren (9) ______________ zu finden. Versteht man den wahren Grund für das körperliche Symptom, ist die Chance für eine (10) ______________ groß.

3 **Wortbildung – nicht trennbare Vorsilben**

a) Welche Vorsilbe hat die Bedeutung „falsch“ bzw. „nicht“, welche sagt aus, dass etwas „weggenommen“ wird und welche, dass etwas kaputtgeht bzw. aus einem Ganzen viele kleine Teile werden?

b) Welche Gemeinsamkeit haben diese Vorsilben hinsichtlich ihrer Bedeutung?

Bedeutung			
Vorsilbe	ent-	miss-	zer-
Beispiel	*enttäuschen*	*missfallen*	*zermürbend*

c) Ergänzen Sie je ein weiteres Beispiel.

d) Welche der drei Vorsilben passen jeweils zu diesen Verben?
verstehen – wenden – stören – (ein-)fallen – kratzen – achten

e) Formulieren Sie in Dreier-Gruppen Beispielsätze zu je fünf Verben.

AB 52 3–4

LESEN 2

1 **Ergänzen Sie die Informationen zu Freud aus dem Text unten.**

Wohnadresse bis 1938	Berggasse 19, Wien
Schulbildung	
Studienfach	
Studienorte	
akademischer Titel	
Auslandsaufenthalte	
Zeitgenosse	

Freud, Sigmund

Geb. 6.5.1856 in Freiberg/Mähren; gest. 23.9.1939 in London

Freuds Vater Jacob Freud betrieb einen Handel mit Stoff und Tucherzeugnissen. In dritter Ehe hatte er Amalie Nathanson geheiratet, die, 5 wie er selbst, aus einer jüdischen Kaufmannsfamilie stammte. Aufgrund wirtschaftlicher Schwierigkeiten verließ Freuds Familie im Jahre 1859 Freiberg und fand in Wien eine 10 neue Heimat. Von wenigen Auslandsaufenthalten abgesehen, lebte Freud 79 Jahre in dieser Stadt.

Nach dem Besuch des humanistischen Gymnasiums begann Sigmund 15 Freud 1873 das Medizinstudium an der dortigen Universität. 1885 wurde er Privatdozent für Nervenkrankheiten. Im selben Jahr reiste er nach Paris, um sich bei dem berühmten 20 Psychiater Jean-Martin Charcot weiterzubilden. Unter dem Eindruck dieser Pariser Erfahrung entdeckte er den zentralen Unterschied zwischen bewussten und unbewussten seeli- 25 schen Zuständen.

In seinem Hauptwerk, *Die Traumdeutung* (1900), formulierte Freud seine Erkenntnisse vom unbewussten Seelenleben. Danach publizierte er in 30 rascher Folge eine Reihe bedeutender Schriften. Besonders bekannt und einflussreich wurde *Zur Psychopathologie des Alltagslebens*, wo Freud die Ursachen von alltäglichen Vor- 35 gängen wie Vergessen, sich Versprechen oder sich Verschreiben erklärt. Mit diesen Arbeiten gelang es ihm, bedeutende Köpfe in seinen Bann zu ziehen. In der „Psychologischen 40 Mittwochs-Gesellschaft" traf Freud sich seit dem Jahr seiner viel zu späten Ernennung zum Professor 1902 wöchentlich mit einem Kreis von Gleichgesinnten und Schülern in sei- 45 ner Wohnung in der Berggasse 19. Eine Amerikareise im darauffolgenden Jahr machte die Psychoanalyse auch in der Neuen Welt bekannt.

Freuds späte Werke wie *Die Zukunft* 50 *einer Illusion* (1927) und *Das Unbehagen in der Kultur* (1930) dokumentieren seinen Weg von der Medizin über die Psychologie zu Philosophie, Sozialpsychologie und Kulturtheo- 55 rie. Sein Briefwechsel mit dem Physiker Albert Einstein zeigt, dass er Antworten auf die großen Fragen der Menschheit suchte (*Warum Krieg?, 1932*).

60 Nach dem sogenannten „Anschluss" Österreichs an das Deutsche Reich wurden Freud und seine Familie zur Emigration gezwungen. Der Schöpfer der Psychoanalyse starb ein Jahr 65 später – 1939 – im Londoner Exil.

GR 2 **Genitiv**

GR S. 66

a Unterstreichen Sie alle Genitivformen im Text.

b Ordnen Sie diese Formen in das Raster unten und markieren Sie die Endungen.

Genitiv			
bei Eigennamen	bei Nomen mit bestimmtem Artikel	bei Nomen mit unbestimmtem Artikel	nach Präpositionen
Freuds Vater	Besuch des humanistischen Gymnasiums	Zukunft einer Illusion	Aufgrund wirtschaftlicher Schwierigkeiten

AB 53 5–9

1 **Was tut eigentlich ein Psychoanalytiker / eine Psychoanalytikerin?**

Wer geht zu ihm/ihr? Warum geht man zu ihm/ihr?

2 **Was sehen Sie auf dem Foto?**

Wer legte sich wohl in welcher Situation auf diese Couch?

3 **Was erfahren Sie in dem Text zum Foto über**

- a die Couch?
- b das Gesprächsverfahren der Psychoanalyse?
- c moderne Formen der Therapie?

Die Couch, auf der alles begann: ein Möbelstück als wichtiges Vehikel für die Reise ins Unbewusste. Die Couch + Freud = Psychoanalyse. Der Patient liegt, der Psychoanalytiker sitzt – für Ersteren unsichtbar – daneben. Der eine redet, wenn ihm gerade was einfällt, der andere schweigt, zumindest meistens. Aus dieser „Kur" haben sich unzählige therapeutische Richtungen entwickelt. Inzwischen sind allerdings viele Psychotherapeuten vom „klassischen Modell" weit entfernt. Sie machen Gesprächs-, Gruppen-, Paar- und Familienarbeit, Rollenspiele, Entspannungs- und Körperübungen. Die „Ur-Couch", die Freud von Wien ins Londoner Exil brachte, ist dort noch zu besichtigen.

4 **Hörerwartung**

In der nun folgenden Radiosendung hören Sie ein Gespräch mit dem Psychoanalytiker Wolfgang Schmidbauer. Die Sendung trägt den Titel: „Der Kampf um die Erinnerungen ... Was passiert in der Psychoanalyse?"
Was erwarten Sie von dieser Sendung hauptsächlich?

- ☐ Historische Dokumente von und über Freud.
- ☐ Aussagen und Erfahrungen eines praktizierenden Psychoanalytikers.
- ☐ Meinungen verschiedener Menschen über die Psychoanalyse.

5 **Hören Sie zunächst eine kleine Szene.**
CD | 19

- a Wer spricht hier mit wem?
- b Um welche Situation geht es?
- c Worüber sprechen die beiden?
- d Wie verhalten sich die beiden?

P **6**
CD | 20–23

Hören Sie nun die Radiosendung weiter in Abschnitten.

Bearbeiten Sie die Aufgaben nach jedem Abschnitt.
Kreuzen Sie jeweils die richtige Lösung an.

Abschnitt 1

Was sagt Schmidbauer über Freud und die Psychoanalyse?
- ☐ Er hat diese Lehre entwickelt.
- ☐ Er hat sie abgelehnt.
- ☐ Er fand sie besser als die Hypnose.

Abschnitt 2

Schmidbauer erzählt von einem Fall,
- ☐ den er selber in der Praxis hatte.
- ☐ den Freud behandelt hat.
- ☐ den sein Schwager selbst erlebt hat.

Was fehlte der Frau?
- ☐ Sie konnte sich nicht mehr richtig bewegen.
- ☐ Sie konnte nicht mehr sprechen.
- ☐ Sie hatte eine Krankheit an den inneren Organen.

Worin sah Freud die Ursache ihrer Krankheit?
- ☐ In verbotenen Wünschen, die sie nicht akzeptieren konnte.
- ☐ In einem Konflikt mit ihrem Schwager.
- ☐ In ihren Erinnerungen an die Kindheit.

Abschnitt 3

Worauf deuten die freien Assoziationen eines Patienten hin?
- ☐ Auf wichtige Dinge, von denen eine Person selber nichts weiß.
- ☐ Auf unwichtige Dinge, die jemand vergessen hat.
- ☐ Auf Sorgen, die jemand hat.

Was erklärt das Beispiel der Prüfungsangst?
- ☐ Dass der Mensch Widerstand leisten sollte.
- ☐ Dass man Angst positiv sehen sollte.
- ☐ Dass Patienten sich nicht leicht von ihren Störungen trennen.

Abschnitt 4

Warum setzt Schmidbauer die „Couch" ein?
- ☐ Weil er seine Patienten nicht kontrollieren will.
- ☐ Weil sie einfach zur Psychoanalyse gehört.
- ☐ Weil er seine Patienten nicht gerne anschaut.

Die Psychoanalyse eignet sich vor allem für Personen,
- ☐ die sich selbst erforschen wollen.
- ☐ die möglichst schnell gesund werden wollen.
- ☐ die mit einer Gruppentherapie nicht zurechtkommen.

7

Persönlicher Eindruck

a. Was fanden Sie in dem Gespräch besonders interessant?
b. Was war Ihnen bereits bekannt?
c. Was fiel Ihnen an Wolfgang Schmidbauers Sprache auf?

AB 55 10–12

1 Was verstehen Sie unter den folgenden Begriffen?

a Ordnen Sie die Definitionen aus einem Wörterbuch zu.

der Geist	Fähigkeit, zu verstehen, Begriffe zu bilden, Schlüsse zu ziehen, zu urteilen, zu denken
die Seele	1 Organ, das den Blutkreislauf antreibt und in Gang hält 2 Zentrum der Empfindungen, des Gefühls, auch des Mutes und der Entschlossenheit
das Herz	das, was das Fühlen, Empfinden, Denken eines Menschen ausmacht; Gesamtheit der Bewusstseinsvorgänge; Psyche
der Verstand	1 das denkende Bewusstsein des Menschen 2 Scharfsinn, Esprit 3 innere Einstellung, Haltung 4 überirdisches Wesen

b Wie heißen diese Begriffe in Ihrer Muttersprache?

AB 56 13

2 Redensarten

a Welche der Redensarten aus **b** in der Spalte links sind auf den Bildern wohl dargestellt?

b Was ist wohl mit diesen Redensarten gemeint? Ordnen Sie zu.

eine schwarze Seele haben	unzertrennlich sein, sich einig sein
ein Herz und eine Seele sein	unbedingt alles Mögliche wissen wollen
eine Seele von einem Menschen sein	genau das aussprechen, was der andere auch empfindet
jemandem aus der Seele sprechen	mit großer Lautstärke rufen
jemandem die Seele aus dem Leib fragen	ein sehr gütiger, verständnisvoller Mensch sein
sich die Seele aus dem Leib schreien	über etwas, was einen bedrückt, reden und sich dadurch abreagieren
sich etwas von der Seele reden	einen schlechten Charakter haben

c Nehmen Sie ein einsprachiges Wörterbuch zur Hand.
Bilden Sie Gruppen. Schreiben Sie jeweils zu einem der Wörter „Herz", „Geist" oder „Verstand" drei Redensarten heraus. Die anderen Gruppen finden eine Definition.

AB 57 14–15

5

1 **Kreative Menschen – woran erkennt man sie?**

a Sind Sie ein kreativer Mensch? Warum (nicht)?
b Wie stellen Sie sich das Leben eines kreativen Menschen vor?
c Wie könnte man die eigene kreative Energie steigern?

2 **Lesen Sie den Text.**

Ordnen Sie die Überschriften (A – J) den einzelnen Tipps (1 – 10) zu.

A	B	C	D	E	F	G	H	I	J
1				6					

A Führen Sie ein Tagebuch.
B Beginnen Sie jeden Tag mit einem Ziel, auf das Sie sich freuen können.
C Bestimmen Sie Ihre Zeiteinteilung selbst.
D Betrachten Sie Probleme unter verschiedenen Blickwinkeln.
E Brechen Sie mit alten Gewohnheiten.
F Fördern Sie Ihr Unterbewusstsein.
G Geben Sie Ihrem Arbeitsplatz eine persönliche Note.
H Lassen Sie sich durch Kritik nicht entmutigen.
I Lernen Sie von Kindern.
J Nehmen Sie sich Zeit für Reflexion.

Kreativität – Zehn simple Erfolgsregeln

1 Nutzen Sie es, um Ihr Leben zu analysieren. Das ist einfacher als das Studium von Börsenkursen und auf lange Sicht viel wichtiger.

2 Dies kann eine Verabredung sein oder ein neues Kleid, ein Konzert oder ein Theaterbesuch. Malen Sie sich dieses Ereignis immer wieder aus. Sie erzeugen dadurch eine positive Grundstimmung für den beginnenden Tag.

3 Pflanzen oder bunte Wände wirken Wunder. Entscheidend ist nicht, wie die Umgebung beschaffen ist, sondern dass man sich mit ihr im Einklang fühlt.

4 Gehen Sie schlafen, wenn Sie müde sind – nicht erst zum Sendeschluss im Fernsehen. Essen Sie, wenn Sie hungrig sind, statt mit der Mittagsglocke in die Kantine zu eilen. Ihre Zeit ist flexibler, als Sie denken.

5 Unermüdliche Aktivität ist sicher lobenswert, aber nicht immer das beste Rezept für Kreativität.

6 Fördern Sie Ihre wenig entwickelten Seiten, statt immer nur das zu tun, was Sie gut können.

7 Am besten tut man dies durch leichte Tätigkeiten wie Spazierengehen oder Schwimmen. Geniale Ideen unter der Dusche oder gar am stillen Örtchen sind keine Seltenheit.

8 Sie haben weniger Vorurteile als Erwachsene, hören besser zu und sind viel aufgeschlossener gegenüber allem Neuen.

9 Das Schicksal vieler Avantgardisten ist, dass sie zunächst nicht ernst genommen werden oder sogar harsche Kritik oder Neid für ihre ungewöhnlichen Ideen ernten. Nutzen Sie die Kritik aber zur Optimierung Ihrer Pläne!

10 Kreative Menschen legen sich nicht vorschnell auf eine Antwort fest. Sie ziehen die unterschiedlichsten Ursachen und Erklärungen in Betracht. Wurden Sie bei einer Beförderung übergangen, denken Sie eventuell: „Das ist passiert, weil mich der Chef nicht mag.“ Kehren Sie den Satz um! „Es ist passiert, weil ich den Chef nicht mag.“ Enthält dieser Satz vielleicht ein Körnchen Wahrheit?

3 **Welche drei Regeln halten Sie für besonders effektiv?**

AB 58 16

1 Beschreiben Sie kurz, was Sie auf den Fotos sehen.

2 Vier Typen

Welche Beschreibung passt zu den Typen?
Wem gehört welcher Schreibtisch?

Der Pedant	verschiebt die Erledigung von Aufgaben gerne auf einen späteren Zeitpunkt, türmt Unterlagen auf dem Schreibtisch auf, trifft ungern Entscheidungen ...
Die Kulturtante	fängt vieles an, führt aber nichts wirklich zu Ende, unordentlich, chaotisch, ...
Der Hochstapler	hält seine Termine immer minutengenau ein, Ordnung ist für ihn das Wichtigste auf der Welt, ...
Der Messie	sucht nach den schönen Dingen in der Umwelt, geht häufig ins Museum, Kino und Theater, besucht in den Ferien mit Freundinnen einen Aquarellkurs ...

AB 58 17

3 Was für ein Mensch arbeitet hier wohl?

Setzen Sie sich zu viert zusammen und spekulieren Sie über die Besitzer dieser Schreibtische. An welchem der vier Schreibtische könnten Sie sofort anfangen zu arbeiten? An welchem auf keinen Fall?

An Schreibtisch A könnte ich sofort / auf keinen Fall / nicht gut ... arbeiten.
Es ist genug / zu wenig ... Platz für ... vorhanden.
Der Besitzer ist ein ordnungsliebender / chaotischer ... Mensch.
Das sieht man daran, dass ...
Er liebt es, ...
Er könnte ... bei ... sein.

4 Welche Bedeutung haben folgende Aspekte?

Geschlecht – Alter – Beruf – Kultur – Erziehung

P 5 Etwas aushandeln

Zu zweit besprechen Sie folgendes Problem: Sie sollen mit einem sehr schlecht organisierten Menschen ein Arbeitszimmer teilen. Sie hatten bereits mehrere Konflikte: Ihr Kollege kommt häufig zu spät zu wichtigen Terminen, findet wichtige Unterlagen nicht in seinen Papierbergen, viele Aufgaben bleiben unerledigt.

Besprechen Sie mögliche Empfehlungen, die Sie dem Arbeitskollegen geben könnten:

(a) Vergleichen Sie die Optionen und diskutieren Sie die Vor- und Nachteile der Auswahlmöglichkeiten.

(b) Begründen Sie Ihren Standpunkt.

(c) Gehen Sie auch auf mögliche Einwände Ihres Gesprächspartners / Ihrer Gesprächspartnerin ein.

(d) Kommen Sie am Ende zu einer Entscheidung, welchen Vorschlag Sie machen wollen.

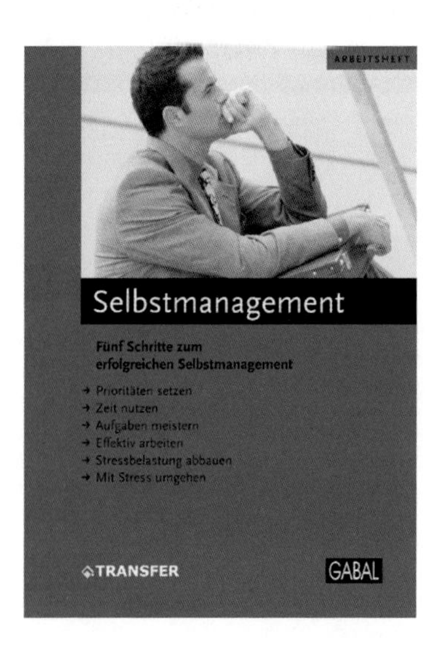

Profil Service Home

Home/ Persönlichkeits- & Selbstkompetenz/ Selbstorganisation und Zeitmanagement

Kontakt I Impressum I Anfahrt I Broschüre bestellen © Neuland & Partner 2006

NEULANDS Skills and Methods

Infomarkt

- Termine: Seminare 2007 »
- Azubi der Zukunft - Projekt »

Selbstorganisation und Zeitmanagement

Die Idee, in immer kürzerer Zeit immer mehr zu erledigen, ist out! Viele Menschen fühlen sich wie der Hamster im Laufrad, sehen ihr Leben mit atemberaubender Geschwindigkeit an sich vorbeiziehen und fühlen sich außer Stande, noch die Dinge zu tun, die wirklich wichtig sind und ihnen gut tun. Die Lösung: in der uns gegebenen Zeit die richtigen und wichtigen Dinge zu tun; die Dinge, die unser berufliches und privates Leben wieder in eine gute Balance bringen.

Anmelden »

Seminar-Infos zum Download »

Ihre Inhouse Maßnahme »

Trainings-, Beratungs- und Dialogforum für Führungskräfte

NEULANDS ACADEMY for Modern Leadership

Ziel und Nutzen

In diesem Seminar gewinnen Sie geeignete Instrumente, um die Organisation Ihres Lebens wieder selbst in die Hand zu bekommen. Sie gewinnen Einblick, welche Dinge Ihnen wirklich wichtig sind, und wie Sie diese in Einklang bringen können. Sie lernen Methoden und Hilfsmittel kennen, die Begleiter für Ihre zukünftige Selbstorganisation und Ihr Zeitmanagement sein werden. Damit legen Sie den Grundstein für mehr Ausgeglichenheit, Freude und Motivation in Ihrem beruflichen und privaten Alltag.

Beratung und Prozessbegleitung

NEULAND & PARTNER

Inhalte

1 Wo arbeitet diese Frau?
Welche Probleme hat Sie?

2 Von einer Freundin erhalten Sie folgende E-Mail.

Hallo,
vielen Dank für Deine Mails, die ich gerade erst lesen konnte. Mein Computer war nämlich einige Zeit außer Gefecht gesetzt – ich hatte einen schrecklichen Virus. Erst mit der Hilfe eines Freundes und dessen nagelneuem Anti-Virenprogramm konnte ich den Kontakt zur Außenwelt wieder aufnehmen. Wie ich lese, geht es Dir ausgezeichnet. Das Seminar über Zeitmanagement, das Dein Chef Dir spendiert hat, scheint ja Wunder bei Dir bewirkt zu haben. So was würde mir auch mal guttun. Neulich fand mal wieder ein Arbeitsgruppentreffen bei mir statt. Es war mir wirklich peinlich, denn keiner hatte auch nur das kleinste Eckchen Platz auf meinem Schreibtisch, um einen Block oder einen Stift abzulegen.
Die Papierberge wachsen und wachsen.
Leider habe ich zurzeit so viele Termine, dass ich überhaupt nicht zum Aufräumen komme. Letztens habe ich sogar einen Zahnarzttermin verschwitzt. Sehr blöd, weil ich nun wieder Wochen auf einen neuen Termin warten muss. Irgendwie habe ich ständig das Gefühl, mein Tag ist zu kurz.
Wie machst Du das bloß? Bei Dir scheint immer alles gut durchorganisiert.
– Gerade klingelt mein Handy. Bis bald. Ich warte auf gute Ratschläge von Dir.

Herzliche Grüße
Heidi

Von welchen Probleme berichtet Heidi? Unterstreichen Sie die Textstellen.

3 Satzbau - Vorfeld

Unterstreichen Sie die Satzanfänge, die nicht mit dem Subjekt anfangen. Mit welchen Satzteilen beginnen sie?

Beispiel: Erst mit der Hilfe eines Freundes ...

4 Antworten Sie auf die Mail.

Verbinden Sie Ihre Sätze durch variationsreiche Satzanfänge.
Gehen Sie auf folgende Punkte ein:

- Bedanken Sie sich für die E-Mail.
- Berichten Sie, wie Ihr eigener Schreibtisch zurzeit aussieht.
- Erläutern Sie, wie Sie sich die Aufgaben eines Tages einteilen.
- Raten Sie Ihrer Freundin, wie sie richtig aufräumen soll.
- Erklären Sie, wie sie verhindert, dass ihre Papierberge weiterwachsen.

1 Formen des Genitivs

ÜG S. 14

a Nach bestimmtem Artikel
Das Adjektiv endet immer auf *-en*.

	Singular	Plural
maskulin	des bekannten Wissenschaftlers des spannenden Falles des neuen Patienten	der jungen Freunde
neutral	des interessanten Themas	der interessanten Themen
feminin	der kranken Patientin	der kranken Patientinnen

b Nach unbestimmtem und ohne Artikel
Das Adjektiv endet im Singular meistens auf *-en*.

	Singular unbestimmter Artikel	Singular ohne Artikel	Plural
maskulin	eines bekannten Doktors eines spannenden Falles eines neuen Patienten	großen Mutes	bekannter Doktoren spannender Fälle neuer Patienten
neutral	eines interessanten Themas	europäischen Geldes	entfernter Ziele
feminin	einer kranken Patientin	hoher Intelligenz	kranker Patientinnen

c Bei Eigennamen
An Eigennamen wird im Genitiv ein *-s* angehängt. Der Genitiv steht hier direkt vor dem Nomen, zu dem er gehört.
Beispiel: *Freuds Couch, Lisas Freundinnen*

2 Präpositionen mit Genitiv

ÜG S. 64

Präposition	Bedeutung	Beispiel
anlässlich	temporal	*anlässlich seines 200. Geburtstags*
während	temporal	*während seiner Ausbildung*
außerhalb, innerhalb	temporal, lokal	*außerhalb der Sprechstunde, innerhalb des Ortes*
abseits, diesseits, jenseits	lokal	*abseits der großen Städte, jenseits des Möglichen*
angesichts	kausal	*angesichts der großen Schwierigkeiten*
aufgrund/wegen	kausal	*aufgrund/wegen seiner Vorgeschichte*
zwecks	final	*zwecks eines besseren Verständnisses*
infolge	konsekutiv	*infolge seiner Erkrankung*
anstatt, statt	modal	*anstatt/statt einer Entschuldigung*
trotz	konzessiv	*trotz guter finanzieller Verhältnisse*
anhand	instrumental	*anhand eines konkreten Falles*
dank	instrumental	*dank seines vielen Geldes*
mithilfe, mittels	instrumental	*mithilfe/mittels eines Lexikons*

3 Genitiv versus Dativ

Umgangssprachlich wird der possessive Genitiv nach Eigennamen häufig durch *von* (+ Dativ) ersetzt.
Beispiele: *die Praxis von einem bekannten Doktor, die Couch von Freud, die Probleme von Sabine*
Viele Präpositionen mit Genitiv gebraucht man umgangssprachlich inzwischen häufig mit Dativ.
Beispiele: *während dem Vortrag, statt einem Medikament, wegen dir*

Arbeitsbuch
Lektion 1–5

Verben

abdecken
aufzeichnen
ausweisen
befragen
behaupten
bekannt geben
berichten
bestätigen
betonen
beurteilen
bezweifeln
eindringen in + *Akk.*
feststellen
gelten als + *Nom.*
hervorgehen aus + *Dat.*
kommentieren
lauten
meinen
mitteilen
referieren
resümieren
sich äußern zu + *Dat.*
sich ergeben aus + *Dat.*
verbreiten
vereinbaren
versichern
wiedergeben
zusammenfassen

Nomen

der Abschluss, ⸚e
die Agentur, -en
die Aufmachung
die Ausrottung
die Aussage, -n
der Bericht, -e
die Besprechung, -en
die Bestätigung, -en
die Erklärung, -en
die Filiale, -n
die Frist, -en
die Garantie, -n
die Glosse, -n
das Interview, -s
die Katastrophe, -n
die Kolumne, -n
der Kommentar, -e
die Kritik, -en
die Meldung, -en
die Meteorologie
die Nachricht, -en
der Nervenkitzel
die Publikation, -en
die Quellenangabe, -n
die Redewiedergabe
die Reportage, -n
die Schlagzeile, -n
die Stellungnahme, -n
das Tagesgeschehen
die Tagung, -en
die Textsorte, -n
der Veranstalter, -
die Versuchsreihe, -n
das Werk, -e
die Wirtschaft
die Wissenschaft, -en
das Zitat, -e

Adjektive/Adverbien

abgestumpft
altgedient
ausführlich
ausgestorben
bedauerlich
belletristisch
entsetzt
fassungslos
grotesk
ironisch
katastrophal
knapp
notariell
objektiv
pausenlos
polemisch
renommiert
sachlich (un-)
subjektiv
unverhofft
verheerend
zutreffend (un-)

Präpositionen

fern
gemäß
laut
nach
samt
zufolge
zuliebe

Ausdrücke

außer Kontrolle geraten
den Blick öffnen für + *Akk.*
eine Frage aufwerfen
einen Vertrag schließen
etwas läuft gut/schlecht
im Einsatz sein
Konsequenzen ziehen aus + *Dat.*
nach Angaben (von + *Dat.*)
nach Aussage (von + *Dat.*)
unter Berufung auf + *Akk.*
vor Augen führen
Widerstand leisten

1

1

Wortarten → LERNWORTSCHATZ

a Zu welchen Verben in der linken Spalte finden Sie ein Nomen?
Beispiel: *aufzeichnen – die Aufzeichnung*

b Suchen Sie zu möglichst vielen Nomen passende Verben.
Beispiel: *der Abschluss – abschließen*
der Bericht – berichten

2

Prioritäten im Kurs

a Wozu lernen Sie Deutsch? Kreuzen Sie an, was auf Sie am meisten zutrifft.

Ich lerne Deutsch, weil

- ☐ es mir Spaß macht. In Ausbildung oder Beruf brauche ich es eigentlich nicht.
- ☐ ich es in meinem Beruf als .... brauche.
- ☐ ich oft mit deutschsprachigen Menschen zu tun habe.
- ☐ ich es in der Schule oder fürs Studium an einer Universität brauche.
- ☐ ich in einem deutschsprachigen Land lebe / leben möchte.

b Wofür benötigen Sie Ihre Deutschkenntnisse? Kreuzen Sie an, wann und wo Sie Deutsch hören, sprechen, lesen oder schreiben. Welche Fertigkeiten sind für Sie besonders wichtig?

Hören und verstehen
- ☐ deutschsprachige Radiosendungen
- ☐ deutschsprachige Fernsehsendungen
- ☐ deutschsprachige Filme und Videos
- ☐ geschäftliche Besprechungen
- ☐ deutschsprachige Vorlesungen

Sprechen
- ☐ Unterhaltungen in Alltagssituationen
- ☐ Kundengespräche
- ☐ geschäftliche Verhandlungen
- ☐ Telefonieren am Arbeitsplatz
- ☐ Seminarvorträge, Referate

Lesen und verstehen
- ☐ Zeitungen, Zeitschriften
- ☐ private Briefe und Mitteilungen usw.
- ☐ geschäftliche Korrespondenz
- ☐ Fachliteratur, Belletristik

Schreiben
- ☐ private Briefe, E-Mails usw.
- ☐ Geschäftsbriefe, Faxe usw.
- ☐ Aufsätze, Seminararbeiten, Protokolle usw. in Schule oder Universität

1

zu Seite 11, 4

3

Meldungen ergänzen → LESEN/WORTSCHATZ

Lesen Sie folgende Zeitungsmeldung und wählen Sie für die Lücken jeweils das passende Wort aus.

Mary und Nicole Schreier, eineiige Zwillinge aus Dresden, haben (0) ....gemeinsam.... die Wahl zur Miss Ostdeutschland gewonnen. Die Jury konnte sich bei der Auswahl im thüringischen Vogelsberg nicht zwischen den Zwillingen (1) .... Nach (2) .... des Veranstalters wurde deshalb eine salomonische Entscheidung (3) .... Beide Mädchen dürfen am 12. Januar an der Finalrunde in Trier teilnehmen. „Wir halten zusammen und wollen die erste doppelköpfige Miss Germany werden“, (4) .... die beiden 21-Jährigen nach der Siegerehrung an.

(0) A einmalig B vereinigt ~~C~~ gemeinsam
(1) A beschließen B bestimmen C entscheiden
(2) A Regeln B Angaben C Lösung
(3) A getroffen B gezogen C gemacht
(4) A fragten B meldeten C gaben

zu Seite 11, 5

4 Kuriositäten → GRAMMATIK

Formen Sie die folgenden Ausschnitte aus Kurzmeldungen in die direkte Rede um.

Nichtraucherzonen am Strand

Die Kurverwaltung Wyk auf der Insel Föhr gab bekannt, dass sie im Sommer am Strand Nichtraucherzonen einrichte. Dies sei ein einmaliges Projekt. Proteste erwarte man nicht.

Mutiger Papagei schlägt Einbrecher in die Flucht

Nach Angaben der Polizei ist ein Einbrecher von einem Papagei schwer verletzt worden. Der Papagei habe offenbar versucht, das Eigentum seines Besitzers zu verteidigen. Dabei habe er dem Einbrecher am Kopf blutige Wunden zugefügt. Er selber habe bei dem Kampf lediglich einige Schwanzfedern eingebüßt. Den Diebstahl habe er jedoch nicht verhindern können.

1 Million sieben Wochen liegen gelassen

Ein Sprecher der Lotto-GmbH teilte mit, eine 42-jährige Frau, die 1 038 888 Euro gewonnen hatte, habe sich erst sieben Wochen nach der Ziehung gemeldet. Sie habe den Spielschein wochenlang ahnungslos in der Tasche getragen. Erst vor wenigen Tagen habe sie den Spielschein prüfen lassen.

Die Kurverwaltung gab bekannt: Im Sommer richtet die Kurverwaltung am Strand Nichtraucherzonen ein. Dies ...

Die Polizeibeamten meldeten: ....

Der Sprecher der Lotto-GmbH sagte: ....

1

zu Seite 11, 5

5 Formen der indirekten Rede → GRAMMATIK

Formen Sie die Meldungen des Polizeifunks in die indirekte Rede um. Achten Sie dabei auf die Zeit.

	Meldung	In der Zeitung wird berichtet,
a	Auf der A8 hat sich ein schwerer Unfall ereignet.	auf der A8 habe sich ein schwerer Unfall ereignet.
	Es gab fünf Verletzte.	
	Der Notarzt traf unmittelbar nach dem Unfall ein.	
	Die Verletzten sind sofort ins Krankenhaus eingeliefert worden.	
b	In der Müllerstraße wurde eine Bank überfallen.	
	Die Bankräuber konnten entkommen.	
c	Ein Orkan fegt mit 220 km/h über die Kanaren hinweg.	
	Mit Schäden wird gerechnet.	

zu Seite 12, 1

6 **Verben des Sagens → WORTSCHATZ**

Ergänzen Sie in den folgenden Sätzen die Verben in der richtigen Form.

äußern
behaupten
berichten
bestätigen
betonen
bezweifeln
erklären
hervorgehen
melden
mitteilen
versichern

a Aus dem Bericht geht .... eindeutig hervor ...., dass die Deutschen sehr reiselustig sind.
b Der Politiker .... die Aussagen des Zeitungsberichts.
c Die Wirtschaftsprognosen können einfach nicht stimmen. Ich .... ihre Richtigkeit.
d Ich .... Ihnen, dass ich mich auf jeden Fall an die Vereinbarung halten werde.
e Du kannst das nicht ...., ohne Beweise zu haben.
f Der Diplomat .... dem Minister ausführlich von dem Verlauf der Gespräche.
g Ich freue mich, Ihnen .... zu können, dass Ihr Antrag genehmigt wurde.
h Er .... Bedenken gegenüber diesem Vorschlag.
i Ich möchte ausdrücklich ...., dass ich damit nichts zu tun habe.
j Sie hat mir ihre Absichten genau ....
k Ein Augenzeuge .... den Unfall bei der Polizei.

zu Seite 12, 2

7 **Präpositionen → GRAMMATIK**

Formen Sie die Sätze um, indem Sie *gemäß*, *laut*, *nach* oder *zufolge* verwenden.

a Viele Wissenschaftler meinen, dass zu fettes Essen ungesund ist.
(nach) Nach Meinung vieler Wissenschaftler ist zu fettes Essen ungesund.
b Der Mann sagte aus, dass er nichts mit dem Unfall zu tun hat.
(nach) ....
c Wie das *Berliner Tageblatt* meldete, nimmt die Anzahl der alten Menschen in Deutschland zu.
(zufolge) ....
d Eine Umfrage hat ergeben, dass viele Menschen es vorziehen, allein zu leben.
(laut) ....
e Wie ein Polizeisprecher mitteilte, wurde ein Drogenring gesprengt.
(nach) ....
f Wir haben vereinbart, dass wir zweimal die Woche eine Sitzung haben.
(gemäß) ....

zu Seite 12, 2

8 **Nebensätze mit *wie* → GRAMMATIK**

Formen Sie die folgenden Sätze um. Beginnen Sie mit *wie*.

Beispiel: Laut Angaben des Statistischen Bundesamtes ist die Zahl der tödlichen Unfälle erheblich zurückgegangen.
Wie das Statistische Bundesamt angab, ist die Zahl der tödlichen Unfälle erheblich zurückgegangen.

ⓐ Nach dem Bericht eines renommierten Wirtschaftsmagazins steigen die Aktien im kommenden Monat.

....

....

ⓑ Laut Mitteilung der Polizei wird es bei Ferienbeginn zu erheblichen Problemen auf den Autobahnen kommen.

....

....

ⓒ Nach einer Erklärung des Trainers wird der Spieler zu Saisonende den Verein wechseln.

....

....

ⓓ Einer Umfrage zufolge sind nur 18 Prozent der Deutschen sehr zufrieden mit ihrem Leben.

....

....

ⓔ Nach Aussagen der Ärzte wird er den Unfall überleben.

....

....

ⓕ Zeugenangaben zufolge trug der Bankräuber eine grüne Perücke.

....

....

zu Seite 12, 3

9 Textsorten → WORTSCHATZ

Welches Wort passt? Kreuzen Sie das passende Wort an.

ⓐ Eine Nachricht soll in erster Linie
- ☐ kommentieren.
- ☒ informieren.
- ☐ beurteilen.

ⓑ Eine Glosse ist vor allem
- ☐ sachlich.
- ☐ ironisch.
- ☐ objektiv.

ⓒ In einem Fernsehinterview wird ein Gespräch
- ☐ aufgezeichnet.
- ☐ ausgezeichnet.
- ☐ resümiert.

ⓓ In einer Filmkritik wird ein Film
- ☐ berichtet.
- ☐ bezweifelt.
- ☐ beurteilt.

ⓔ In einer Reportage ist die Berichterstattung
- ☐ ausführlich.
- ☐ knapp.
- ☐ polemisch.

zu Seite 13, 1

10 Vom Stichwort zum Text → SCHREIBEN

Verbinden Sie die Stichworte so, dass ein flüssiger Text entsteht. Beginnen Sie so:

Durch eine Tür ...

1 durch Tür schleichen
2 sich umschauen, beobachtet oder verfolgt werden
3 Tasche unter dem Arm
4 Ärmel der Jacke nach oben gerutscht
5 verdächtig aussehen
6 eventuell Bank überfallen
7 in der Tasche vielleicht das gestohlene Geld
8 Spion sein können
9 möglicherweise wichtige Dokumente erbeutet

zu Seite 13, 2

11 Lesestrategie → LERNTIPP

Kreuzen Sie an: Welches Vorgehen wählen Sie? Warum?

- ☐ *Ich beginne beim Lesen mit der Überschrift und lese zuerst einmal den ganzen Text. Danach lese ich die Aufgaben. Danach löse ich die Aufgaben.*
- ☐ *Zuerst lese ich die Aufgabe, damit ich weiß, was ich überhaupt tun soll. Je nachdem, was die Aufgabe verlangt, lese ich den Text mehr oder weniger genau.*
- ☐ *Ich überfliege den Text zuerst einmal, lese danach die Aufgaben und lese den Text dann zum Lösen der Aufgaben noch einmal gründlich.*

zu Seite 13, 3

12 Spiel: Zeitungsmeldungen → SCHREIBEN

a Suchen Sie aus Zeitungen oder Zeitschriften Schlagzeilen oder Fotos heraus.

b Schreiben oder kleben Sie Ihr Material auf Kärtchen und hängen Sie es sichtbar im Klassenzimmer auf. Schreiben Sie die Schlagzeilen an die Tafel. Beispiele:

Vater wiedergefunden

Kind ganz schön clever

Aua! Arzt vergaß Bohrer im Zahn

c Die Kärtchen werden eingesammelt. Jeweils zwei Personen ziehen ein Kärtchen und schreiben dazu eine Meldung.

d Jedes Paar liest seinen Text in der Klasse vor. Der Rest der Klasse muss raten, zu welcher Schlagzeile oder welchem Foto der Artikel gehört.

zu Seite 14, 2

Spiel

13 Rollenspiel: Pelzmäntel – nein, danke! → SPRECHEN

Aus Anlass verschiedener Aktionen von Tierschützern findet im Fernsehen eine Diskussion statt. Lesen Sie dazu zuerst die folgenden Meldungen, verteilen Sie die Rollen und spielen Sie anschließend die Diskussion.

MAILAND – Wie jedes Jahr fand gestern vor der Mailänder Scala eine Demonstration gegen Pelzträger statt. Einige Tierschützer versuchten, Pelzjacken und -mäntel mit blutroter Farbe zu besprühen und zu beschmieren. Die Polizei schritt ein und konnte das Schlimmste verhindern.

NEUSTADT – Gestern Nacht öffneten Naturschützer die Käfige von Hermelinen in einem Zuchtgehege. Hunderte von Tieren konnten aus ihrer Gefangenschaft entkommen. Jedoch dauerte das Glück nur kurz. Die Tiere, die nicht wieder gefunden wurden, starben auf qualvolle Weise, da sie an ein Leben in Freiheit nicht gewöhnt sind.

der Moderator / die Moderatorin

Er/Sie ist natürlich neutral und leitet die Diskussion.

Befürworter

Gisela Steining

Sie fällt gern durch exotische Pelzmäntel auf.

Helmut Schmitt

Er kann es sich endlich leisten, seiner Frau einen Pelzmantel zu schenken, und ist stolz, sie zu ihrem Geburtstag damit zu überraschen.

Horst Berger

Er ist Manager in einem großen Pelz- und Ledergeschäft in Hamburg.

Gegner

Benjamin

Er war auf der Mailänder Demonstration und spricht Pelzträger in der U-Bahn an.

Rosi Groß

Sie ist Vegetarierin und findet das Töten von Tieren generell unverantwortlich.

Sara Neser

Sie trägt demonstrativ nur Kleidung aus Kunstfasern.

Befürworter

Silvia Orth
Sie hat gerade als Model auf einer internationalen Modenschau die aktuelle Pelzmode präsentiert.

Klaus Klemm
Er findet, wer Pelze ablehnt, darf auch keine Kleidung aus Leder oder Wolle tragen.

Sabine Nocke
Sie ist Kürschnerin (= Pelznäherin) und leitet einen kleinen Familienbetrieb.

Gegner

Annemarie Schnitzer
Sie ist Tierliebhaberin und besitzt zwei Hunde, eine Katze und einen Kanarienvogel.

Sabine Rall
Sie ist engagiert im Naturschutzbund.

August Hase
Er ist Tierschützer und empfindet die Massenzucht in Käfigen als Tierquälerei.

1

zu Seite 15, 3

14 Präpositionen → GRAMMATIK

Setzen Sie *samt*, *fern* oder *zuliebe* ein.

- a Sebastian verkauft seinen Computer .... Zubehör.
- b Frau Siebert lebt seit einigen Jahren .... der Zivilisation in Neuguinea als Ärztin.
- c Herr Rauter macht seiner Frau .... einen Tanzkurs.
- d .... vom Alltagsstress kann man sich am besten entspannen.
- e Vor allem dir .... mache ich die Schiffsreise mit, obwohl ich leicht seekrank werde.
- f Herr Heilmann wurde .... seiner Familie von seinem Chef zum Essen eingeladen.

zu Seite 16, 4

15 Tageszeitungen → SPRECHEN

- a Suchen Sie die Internetseite der im Kursbuch abgebildeten Tageszeitungen unter **http://www.diafor.de/service/tageszeitungen.htm**. Wie lauten die Internetadressen?
- b Notieren Sie aus einer Zeitung zwei Schlagzeilen der heutigen Ausgabe. Zu welcher Rubrik gehören sie?
- c Suchen Sie zu zweit Themen, zu denen Sie in verschiedenen Zeitungen Artikel finden. Welche Informationen sind gleich? Gibt es auch unterschiedliche Informationen?

zu Seite 17, 4

16 Buchtipp → LESEN

Corinne Hofmann: **Die weiße Massai**

Mit fotografischer Nüchternheit, jedoch nicht ohne Wärme, schildert Corinne Hofmann ihren Traum von Afrika, ihre Leidenschaft, ihre Besessenheit und ihren Glauben an die eigene Kraft.

Den Leser zieht sie durch ihren sicheren Erzählinstinkt hinein in ein außergewöhnliches Abenteuer, von dem sie selber sagt: „Dies ist der Bericht über meine im kenianischen Busch verbrachten vier Jahre. Ich folgte damals zwanghaft der großen Liebe meines Lebens und erfuhr Himmel und Hölle. Es war ein ununterbrochenes Abenteuer, das mich an meine körperlichen und seelischen Grenzen brachte. Es wurde mein größter Überlebenskampf, den ich und meine Tochter Napirai doch noch gewonnen haben."

Die Presse schreibt:
„Corinne Hofmann erzählt von den vier Jahren, in denen sie unter Samburu-Kriegern im kenianischen Busch lebte, und ihr Bericht entwickelt einen Sog, den manch erdachter Schmöker vermissen lässt. Die Autorin wirbt in ihrem Rückblick weder um Verständnis noch um Mitleid für die Mühen und Entbehrungen, die sie auf sich nahm. Stattdessen stellt sie ihre Erlebnisse sachlich dar, ohne Pathos. In dieser unverklärten Detailtreue liegt – neben der ungewöhnlichen Geschichte natürlich – der enorme Reiz des Buches: Beim Lesen wird das fremde Land präsent mit seinen Gerüchen und Geräuschen, der Enge der hüfthohen Wohnhütten, dem Geschmack der Speisen ... Ihr uneitles Buch lädt ein zum intensiven Eintauchen in ein uns unvorstellbares Leben. Gerade deswegen fasziniert nicht nur das Abenteuer an sich, sondern auch der Mut und die Tatkraft der Frau, die es erlebt hat."

a Sind folgende Aussagen zur Buchbesprechung richtig (= r) oder falsch (= f)?

- Die Jahre in Kenia waren für sie eine negative Erfahrung.
- Corinne Hofmann möchte von ihren Lesern bedauert werden.
- Fiktive Geschichten sind häufig weniger fesselnd als dieser Bericht.
- Die Autorin schildert die Lebensumstände im kenianischen Busch zu ausführlich.
- Alles in allem scheint das Buch sehr lesenswert zu sein.

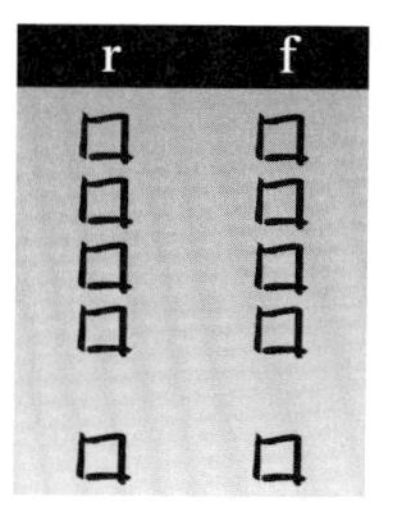

b Suchen Sie zu den folgenden Umschreibungen die entsprechenden Textstellen.

Synonym/Umschreibung	Im Text
ohne anders zu können	zwanghaft
an den Rand meiner Kräfte	
zieht einen in ihren Bann	
das Leiden	
schonungslos genauen Darstellung	
das Besondere	
nicht ich-bezogen	

17 **Lehrwerk-Quiz → LERNTECHNIK**

Wie gut kennen Sie Ihr Lehrwerk schon?
Blättern Sie Kurs- und Arbeitsbuch durch und beantworten Sie dabei zu zweit die folgenden Fragen so schnell wie möglich. Wenn das erste Paar „Halt!" ruft, beginnt die Auswertung. Für jede richtige Antwort gibt es einen Punkt.

Frage	Antwort
Wo finde ich	
a wie das Thema von Lektion 5 lautet?	....
b Aufgaben, um meinen Wortschatz zu erweitern?	....
c die Grammatik in Übersichten dargestellt?	....
d Hilfen zum richtigen Lernen?	....
Wie viele	
a Lektionen gibt es?	....
b Hörverstehenstexte enthält das Buch?	....
c Fertigkeiten trainiert jede Lektion?	....
d Wörter lerne ich in jeder Lektion ungefähr?	....
In welcher Lektion üben wir	
a etwas zu präsentieren?	....
b einen formellen Brief zu schreiben?	....
c in einem Bericht etwas Gesagtes wiederzugeben?	....
Wie sieht der Hinweis auf eine	
a Übung im Arbeitsbuch aus?	....
b Übung zur Grammatik aus?	....
c Übung aus, die gezielt auf eine Prüfung vorbereitet?	....

1 LERNER-CD 1

Hören Sie zunächst eine Nachricht aus dem Radio.

2 LERNER-CD 2

Sprechen Sie die folgenden Wörter nach.

Laut	Beispiel	Laut	Beispiel
a	*an*	ss	*Schluss, musste, Passau*
ä	*jährig*	z	*Linz*
e	*Stelle*	s	*sie*
u	*Unfall, und*	st	*starb*
ü	*überschlug*	ng	*Pocking*
i	*Widerstand*	nk	*angetrunken*
ö	*Österreich*	p	*Promille*
ch	*Nacht, nach, noch*	l	*Polizei*
ch	*tödlichen, ausweichen*	r	*Richtung*
sch	*falsch*	h	*Höhe, Autobahn, Alkohol, Festnahme*
v	*vergangenen, verursacht*		
b	*Burg*	-e	*Deutsche*
w	*war*	-er	*Deutscher, Fahrer, der*
f	*Fest*	-in	*Fahrerin*

3 LERNER-CD 3

Betonung einzelner Wörter

a Hören Sie einzelne Wörter der Nachricht noch einmal und lesen Sie mit. Markieren Sie, welche Silben betont werden.

Neuburg – Falschfahrer – vergangenen – Autobahn – tödlichen – Unfall – verursacht – 47-jährige – Deutsche – Angaben – Polizei – Promille – Österreich – Richtung – gefahren – Anschlussstelle – Fahrerin – ausweichen – überschlug – Unfallstelle – Festnahme – leistete – heftigen – Widerstand

b Hören Sie die Wörter noch einmal, sprechen Sie sie nach und achten Sie dabei auf die Betonung.

4

Satzmelodie

a Lesen Sie den ersten Satz der Meldung laut vor.

Ein Falschfahrer hat in der vergangenen Nacht auf der Autobahn Passau–Linz einen tödlichen Unfall verursacht.

b Lesen Sie den Satz noch einmal. Beginnen Sie dieses Mal von hinten und erweitern Sie den Satz schrittweise.
Markieren Sie, wo jeweils der Akzent liegt.

verursacht. – Unfall verursacht. – tödlichen Unfall verursacht. usw.

Lernkontrolle: Was haben Sie in dieser Lektion gelernt?

Kreuzen Sie an.

Rubrik	Handlungen	gut	besser als vorher	möchte ich noch vertiefen
Lesen	■ Kurzmeldungen und Nachrichten aus der Presse überfliegen und darin Themenschwerpunkte identifizieren.	☐	☐	☐
	■ Mehrere Pressetexte zu einem aktuellen Thema durcharbeiten, gemeinsame Inhaltspunkte identifizieren und herausschreiben (exzerpieren).	☐	☐	☐
Hören	■ Meinungsaspekte in einem Radiokommentar identifizieren, Meinungen verstehen.	☐	☐	☐
	■ Mit den stilistischen Merkmalen eines gesprochenen Kommentars adäquat umgehen.	☐	☐	☐
	■ Informationen und Bewertungen aus Filmtipps im Radio entnehmen.	☐	☐	☐
Schreiben – Produktion	■ Einen Text in Form einer Pressemeldung verfassen.	☐	☐	☐
Sprechen – Produktion	■ Den Inhalt eines Zeitungsartikels anhand eines Fragenkatalogs für eine Präsentation im Kurs aufbereiten und darstellen.	☐	☐	☐
Sprechen – Interaktion	■ In einem Interview über die eigene Persönlichkeit, Wünsche, Vorlieben und Ziele Auskunft geben.	☐	☐	☐
	■ Ein solches Interview mithilfe eines Fragenkatalogs mit einem Gesprächspartner führen und den Partner in der Gruppe vorstellen.	☐	☐	☐
Wortschatz	■ Verben des Sagens und Ausdrücke der Redewiedergabe präzise und differenziert verwenden.	☐	☐	☐
Grammatik	■ Etwas Gesagtes als indirekte Rede in den dafür typischen grammatischen Strukturen wiedergeben.	☐	☐	☐

Sprechen Sie mit Ihrer Kursleiterin / Ihrem Kursleiter über das Ergebnis.
Sie/Er wird Ihnen Tipps zum Weiterlernen geben.

Verben

abbuchen
abheben
anlegen
ausgeben
berücksichtigen
eintippen
einzahlen auf + *Akk.*
erwerben
sich verpflichten zu + *Dat.*
sich wenden an + *Akk.*
überweisen
verfügen über + *Akk.*
verschwenden

Nomen

der Anleger, -
die Anfrage, -n
das Bargeld
der Beitrag, ¨-e
der Betrag, ¨-e
die Buchung, -en
der Dauerauftrag, ¨-e
die Dienstleistung, -en
die Einzugsermächtigung, -en
die Ersparnisse (Plural)
die Gebühr, -en
die Geheimzahl, -en
das Girokonto, -konten
das Guthaben, -
die Kaution, -en
das Konto, Konten
der Kontoinhaber, -
der Kontostand, ¨-e
die Kundschaft
die Lebenshaltungskosten (Plural)
der Markenhersteller, -
die Mitwohnzentrale, -n
die Nebenkosten (Plural)
das Online-Banking
die Preisvorstellung, -en
der Scheck, -s
der Service
das Sparbuch, ¨-er
das Sparkonto, -konten
die Transaktion, -en
der Trend, -s
die Übereinstimmung, -en
die Überweisung, -en
die Vermittlung, -en
die Verzinsung
der Vorsitzende, -n
die Vorsorge
die Währung, -en
das Wertpapier, -e
die Zinsen (Plural)

Adjektive/Adverbien

aussagekräftig
bargeldlos
befristet (un-)
fällig
geeignet (un-)
geizig
geschäftstüchtig
gewinnbringend
großzügig
günstig (un-)
habgierig
idealistisch
kurzfristig
limitiert
materialistisch
überschaubar (un-)
übersichtlich (un-)
unerlässlich
verbindlich (un-)
verschwenderisch

Konnektoren

einerseits - andererseits
entweder - oder
es sei denn, dass
je - desto
nicht nur - sondern auch
sowohl - als auch
weder - noch
wenn – auch
wie – auch
zu – als dass
zwar - aber

Ausdrücke

die alte Leier sein
die Arbeit erleichtern
eine Bestellung aufgeben
eine Rechnung begleichen
ein Konto einrichten
ein Konto führen
ein Konto überziehen
einen Betrag überweisen
ein Konto auflösen
ein Passwort knacken
einen Dauerauftrag einrichten
einen Kredit abzahlen
einen Kredit aufnehmen
elektronisches Kleingeld
etwas unter die Leute bringen
hinter etwas her sein
im Geld schwimmen
in Anspruch nehmen
sich etwas machen aus + *Dat.*
wie Pilze aus dem Boden schießen
Zinsen erheben
zur Verfügung stehen/stellen

1 Wortfeld „Bank" → WORTSCHATZ

a Welche Nomen, Verben und Ausdrücke zählen dazu? Unterstreichen Sie auf Seite AB 19.
b Welche der Ausdrücke zum Thema „Bank" sind Aktivitäten des Kunden, welche Aktivitäten der Bank?

Aktivität	Kunde	Bank
abbuchen		x

zu Seite 20, 3

2 Lebenshaltungskosten → SCHREIBEN

Vergleichen Sie für einen Artikel in der Kurszeitung die Lebenshaltungskosten in Ihrem Heimatland mit denen in Deutschland.

a Stellen Sie dar, welche wichtigen Informationen die Grafik der monatlichen Ausgaben enthält.
b Welche Kosten erscheinen Ihnen eher hoch, welche eher gering?
c Welche Gemeinsamkeiten stellen Sie zu den Ausgaben einer Familie in Ihrem Heimatland fest?
d In welchen Punkten unterscheiden sich die Ausgaben einer Durchschnittsfamilie in Ihrer Heimat stark?
e Wie aussagekräftig ist für Sie eine solche Statistik?

Ordnen Sie zunächst den Aussageabsichten/Intentionen passende Redemittel zu. Verwenden Sie diese dann für Ihren Artikel.

Redemittel
Aus dem Schaubild geht hervor, ...
Im Vergleich zu ... kann man feststellen, ...
... unterscheiden sich sehr/kaum/nur wenig.
Meiner Ansicht/Meinung nach ...
Ähnlich verhält es sich ...
Außerdem ist hier dargestellt, wie ...
Überrascht hat mich, dass ...
Andererseits gibt sie keine Auskunft über ...
Besonders auffällig ist, dass ...

Redeabsichten/Intentionen
über eine Abbildung sprechen/ Infos geben
Details benennen
Interesse/Erstaunen äußern
Vergleiche anstellen
die eigene Meinung sagen

zu Seite 22, 2

3 Bankgeschäfte → WORTSCHATZ

Ergänzen Sie die Sätze sinngemäß mit den folgenden Ausdrücken.

einen Kredit aufnehmen – Zinsen bezahlen – Wertpapiere erwerben – den ~~Betrag überweisen~~ – einen Dauerauftrag einrichten – ein Girokonto eröffnen – auf ein Sparbuch einzahlen

a Wenn man eine Rechnung zu begleichen hat und auf dieser Rechnung ein Konto angegeben ist, kann man ...den Betrag überweisen.......................... .
b Für eine größere Anschaffung, wie zum Beispiel ein neues Auto, kann man bei einer Bank ....
c Dafür muss man allerdings jährlich circa 10% ....
d Für den laufenden Zahlungsverkehr sollte man ....
e Für regelmäßige, immer gleiche Zahlungen kann man auf diesem Konto ....

f Wer Geld längerfristig anlegen möchte, hat verschiedene Möglichkeiten. Sicher, aber nicht sehr gewinnbringend ist es, wenn man sein Geld ....

g Immer mehr Anleger wählen inzwischen jedoch eine vielversprechendere, wenn auch riskante Form: Sie ....

zu Seite 22, 3

4 Bankdienstleistungen → LESEN

a Lesen Sie das Transkript zum Hörtext.

Mit einem Dauerauftrag können Sie regelmäßig anfallende Zahlungen automatisch abbuchen lassen. Praktisch ist er vor allem bei Überweisungen über einen festen, immer gleichbleibenden Betrag, wie zum Beispiel Miete. So kann man nicht vergessen, die Überweisung zu tätigen. Natürlich kann ein Dauerauftrag jederzeit gestoppt werden!
Neben einem flexiblen Girokonto, über das man monatliche Einnahmen und Ausgaben, also etwa Gehalt und Miete abwickelt, haben viele immer noch das gute alte Sparbuch. Darauf lagert meistens das Geld, das man für größere Investitionen, beispielsweise den Kauf eines Autos, zurücklegt. Auf dem Sparbuch erhält man nämlich Zinsen für sein Guthaben.
Sie wollen Bankgeschäfte von zu Hause aus abwickeln? Dann ist Online-Banking das Richtige für Sie. Vom bloßen Abfragen des Kontostands über die Durchführung von Überweisungen bis hin zur Einrichtung von Daueraufträgen können Sie heute alles bequem über den PC ausführen. Aber Achtung: Für Ihre Transaktionen erhalten Sie von der Bank Kennwörter und sogenannte TANs. Geben Sie diese nie an andere weiter!
Ihr Konto ist kurz vor dem Ersten fast leer – trotzdem würden Sie gern beim Sonderangebot im Möbelgeschäft zuschlagen! Ihr Geldinstitut gibt Ihnen meist gerne einen Überziehungskredit in der ein- bis zweifachen Höhe Ihres Gehalts. Dafür bezahlen Sie natürlich Zinsen – und zwar nicht zu knapp! Deshalb sollte man sein Konto möglichst nur für kurze Zeit im Minus lassen!
Sie wollen nicht jedes Mal daran denken, Ihre Fernsprechgebühren zu bezahlen? Dann brauchen Sie der Telefongesellschaft nur eine Einzugsermächtigung zu erteilen. Dadurch kann der Geschäftspartner theoretisch jede beliebige Summe abbuchen. Also: Höhe des abgebuchten Betrags kontrollieren!
Bargeldlose Zahlungsweise wird auch in Deutschland immer beliebter. Die meisten Erwachsenen haben gleich mehrere Karten bei sich. In den meisten Geschäften kann man heutzutage mit EC-Karte bezahlen. Damit können Sie außerdem in ganz Europa Geld am Geldautomaten abheben.
Jeder kennt das: kein passendes Kleingeld im Parkhaus, für den Bus oder für Briefmarken. Kein Problem, denn Sie können jetzt auch kleine Beträge bargeldlos zahlen – mit Ihrer Geldkarte. Elektronisches Kleingeld bis zu 200 Euro können Sie mit Ihrer PIN von Ihrem Konto auf den Geldkarten-Chip laden. Bezahlen mit der Geldkarte geht schnell und einfach.

b Ordnen Sie die richtige Erklärung zu.

die Überweisung – der Betrag – die Gebühr – der Kontostand – das Girokonto – die Zinsen – das Guthaben

1 .... bezahlt man für geleistete Dienste, wie z.B. Telefon, Strom.
2 .... sagt einem, wie viel Geld plus oder minus man auf der Bank hat.
3 .... bekommt oder bezahlt man für Erspartes oder einen Kredit.
4 .... braucht man für Geldbewegungen, die ein- und ausgehen.
5 .... ist ein Plus auf dem Konto.
6 .... ist ein Geldtransfer von einem Konto zum anderen.
7 .... ist eine bestimmte Summe Geld.

zu Seite 22, 4

P 5 Welches Wort passt? → LESEN

Wählen Sie jeweils das richtige Wort für die Lücken.

Geld auf Rädern

Der „Zasterlaster" ist der erste mobile Bankautomat Europas

Der Privatkunde deutscher Banken ist bekanntlich ein bedauernswertes (0) ......Wesen...... Die Bankfiliale um die Ecke mit der sympathischen Beraterin ist gerade der Rationalisierung zum Opfer gefallen und der nächste Geldautomat in zwei Kilometern Entfernung leider (1) .... defekt. Das sind zumindest so die (2) ...., die man häufig hört. Und da ist es doch schön zu erfahren, dass es nun (3) .... eine Bank gibt, die ihren Kunden künftig entgegenkommen möchte: auf drei Rädern, mit 10,5 PS und 65 Stundenkilometern Spitzengeschwindigkeit.

„Zasterlaster" heißt das Gefährt, das die Berliner Volksbank gemeinsam mit dem italienischen Fahrzeugbauer „Piaggio" und einer Erfinderagentur für einen verbesserten Kundenservice (4) .... und patentieren ließ. Kurz gesagt handelt es sich dabei um den ersten mobilen Geldautomaten Europas. Als „äußerst raffinierte und sympathische" Umsetzung einer kundenfreundlichen Idee, die man (5) .... Jahren hege, will Volksbanksprecherin Nancy Mönch den Zasterlaster verstanden wissen. Auch angenehme Assoziationen zu den mobilen Espressobars, die in Italien auf Piaggios durch die Gegend fahren, (6) .... durchaus erwünscht. Denn der Service soll über das Geldabheben (7) ....; der Laster ist per UMTS mit der Rechenzentrale der Bank verbunden, (8) .... der Kunde auch Einsicht in sein Konto haben wird. Der „Zasterlaster" soll vor allem auf Straßenfesten für Bargeldnachschub sorgen und die Berliner Volksbank denkt bereits über eine „ganze Flotte" mobiler Geldautomaten nach, die Kunden an zentralen Plätzen in ihrer Nachbarschaft bedienen könnten. (9) ...., dass die Bank Automatenknackern das Fluchtfahrzeug gleich mitliefere, weist Mönch brüsk zurück: Die Laster hätten ein Alarmsystem, (10) .... nicht sehr schnell und durch die Verbindung mit der Rechenzentrale „jederzeit zu orten".

0. a) Mensch b) Person c) Wesen d) Spezies
1. a) befristet b) günstig c) regelmäßig d) regulär
2. a) Ideen b) Klagen c) Fragen d) Hinweise
3. a) höchstens b) meistens c) bestens d) wenigstens
4. a) entwickeln b) anlegen c) anschaffen d) bestellen
5. a) vor b) in c) seit d) nach
6. a) werden b) ist c) scheint d) sind
7. a) hinausgehen b) übersteigen c) hinauswachsen d) stehen
8. a) deshalb b) dazu c) weil d) weshalb
9. a) Erinnerungen b) Erklärungen c) Mahnungen d) Drohungen
10. a) wären b) seien c) sei d) wäre

zu Seite 24, 4

6 Zweiteilige Konnektoren, konditional → GRAMMATIK

a Setzen Sie die passenden Konnektoren in die Lücken. Manchmal gibt es zwei Lösungen.

es sei denn, dass ...
außer, wenn ...
falls ... nicht
wie ... *auch*
wenn ... auch noch so
zu ..., um zu ...
zu ..., als dass (+ Konj. II)

1 Robert kann die Fernreise nicht unternehmen, ... er im Lotto gewinnt.
2 Der Kaufpreis der Wohnung ist .... hoch, ... Familie Struck sie erwerben könnte.
3 Hans wird nie so reich werden, wie sein wohlhabender Cousin ist, ... er .... viel spart.
4 .... sehr er .... hinter den Ersparnissen seiner Großmutter her ist, er bekommt bestimmt nichts davon vererbt.

b Bilden Sie nun selbst Sätze und verwenden Sie die Konnektoren in Klammern.

1 Sandra – Konto – fast – jeden Monat – überziehen müssen – günstigere Mietwohnung – finden (falls ... nicht; es sei denn, dass ...)
2 Herr Siebert – im Geld – schwimmen – hübsche Maria – sich nichts daraus machen (zwar ... aber; wenn ... auch)
3 Frau Geiziger – habgierig – Geld – unter die Leute – bringen (zu ..., als dass; zu ..., um ... zu)
4 praktisch – sein – Internet – einkaufen – Teil – Kundschaft – gern – Service – Laden – in Anspruch nehmen (wie ... auch; wenn ... auch ..., so ... doch)

zu Seite 25, 4

7 Modalpartikeln in Fragesätzen → GRAMMATIK

Setzen Sie in die Fragen jeweils an der passenden Stelle eine Modalpartikel ein: *denn – doch – eigentlich – vielleicht – mal.* Manchmal gibt es mehrere Lösungen.

Beispiel: Wie heißt du? Jetzt unterhalten wir uns schon zwei Stunden miteinander und ich weiß deinen Namen gar nicht.
Wie heißt du eigentlich?

a Würden Sie mir helfen, den Kinderwagen hochzutragen? Hier gibt es keine Rolltreppe.

b Du hast ihm nichts von meiner neuen Stelle erzählt, oder?

c Weiß Petra genau, wie die Couch aussieht und was sie kostet?

d Hättest du auch noch so einen Katalog für mich?

e Haben wir das Auto schon ganz abbezahlt oder ist da noch etwas offen?

f Herr Meining, hätten Sie einen Moment Zeit für mich?

g Wäre es möglich, gemeinsam eine Lösung für das Problem zu finden?

h Warum hat er allen davon erzählt, dass er Schwierigkeiten mit seinem Vermieter hat?

i Das hat er hoffentlich nicht unüberlegt getan, oder?

2

LEKTION 2

zu Seite 25, 4

8 Modalpartikeln in Aussage- und Aufforderungssätzen → GRAMMATIK

Reagieren Sie auf die Aussagen der Personen und verwenden Sie dabei eine der Modalpartikeln *aber, eben, doch* oder *ja auch.*

Beispiel: Maria sagt zu Hans: „Martin holt seine Freundin jeden Tag von der Arbeit ab.“ (Auto haben)
Hans entgegnet: „Der hat ja auch ein Auto!“

a) Eine Studentin sagt zu ihrem Professor: „Ich konnte das Referat leider nicht bis heute vorbereiten.“ (früher sagen sollen)

b) Eine Mutter zu ihrem 14-jährigen Sohn: „Stimmt das, dass du am Wochenende bei Peter übernachtest?” (schon vor einer Woche darüber gesprochen)

c) Die Wohnungssuchende zur Mitarbeiterin in der Mitwohnzentrale: „Es ist wirklich ärgerlich, dass die Wohnung, die Sie mir gestern angeboten haben, schon weg ist.“ (sich früher entscheiden müssen)

d) Sekretärin zu einer Kollegin: „Jetzt muss ich alles noch mal schreiben, weil der Computer schon wieder abgestürzt ist.“ (Dateien speichern müssen)

e) Eine Frau klagt bei ihrer Freundin: „Mein Mann lässt mich die ganze Hausarbeit machen und wirft mir noch dazu vor, dass ich schlampig sei.“ (nicht besonders nett sein)

f) Eine Frau spricht mit einer Bekannten über ihre Gewichtsprobleme: „Ich muss jetzt endlich mal einige Kilo abnehmen.“ (schon letztes Jahr vergeblich versucht)

zu Seite 25, 4

9 Bedeutung der Modalpartikeln → GRAMMATIK

Setzen Sie passende Partikeln ein. Berücksichtigen Sie die angegebene Bedeutung. Lesen Sie, wenn nötig, die Grammatikübersicht im Kursbuch S. 30.

aber – denn – eben – eigentlich – einfach – ja – ~~mal~~ – ruhig – vielleicht

A Sag (0) *mal*........., weißt du (1) ...., wo man preiswerte Möbel findet?
B Nein, leider nicht. Aber du könntest dir (2) .... mal Kataloge von Möbelhäusern zuschicken lassen. Da gibt es oft interessante Angebote.
A Das ist (3) .... keine schlechte Idee.
B Lass dir (4) .... verschiedene Angebote zuschicken. Dann hast du bessere Vergleichsmöglichkeiten. Und wenn du etwas Passendes gefunden hast, siehst du dir die Möbel vor Ort an.
A Würdest du mich (5) .... beraten? Ich bin unsicher bei den Farben.
B Natürlich gern. An deiner Stelle würde ich (6) .... Stoffreste in verschiedenen Mustern besorgen und in das entsprechende Zimmer legen.
A Du hast wirklich geniale Vorschläge! Man merkt (7) ...., dass du ein eigenes Geschäft hast und immer kreativ sein musst.
B Das ist (8) .... ein nettes Kompliment. Vielen Dank.

(0) höfliche Aufforderung
(1) Aufforderung in Ja-/Nein-Frage
(2) Hinweis auf etwas schon Bekanntes
(3) Überraschung, Bestätigung
(4) niemand hat etwas dagegen oder ist gestört
(5) Interesse oder Aufforderung
(6) Lösungsvorschlag
(7) logische Schlussfolgerung
(8) Überraschung

zu Seite 27, 4

10 Komposita → WORTSCHATZ

a) Bilden Sie Komposita.

~~Mitwohn~~ – Miet – Haftpflicht – Anlauf – Wohn – Neben – Vermittlungs	verhältnis – kosten – gemeinschaft – versicherung – gebühr – punkt – ~~zentrale~~

b Setzen Sie Wörter in die Lücken ein.

Über eine ...Mitwohnzentrale... hat man die Möglichkeit, ein .... für begrenzte Zeit einzugehen. Für Personen, die beruflich oder aus anderen Gründen oft für längere Zeit an einem anderen Ort sind, ist eine Mitwohnzentrale ein praktischer .... Außer der Miete und den .... bezahlt man noch eine einmalige .... Am günstigsten ist es, ein Zimmer in einer .... zu mieten. Es ist empfehlenswert, für eventuelle Schäden, die in der Mietzeit entstehen, eine .... abzuschließen.

zu Seite 27, 6

11 Zweiteilige Konnektoren: Satzteile ergänzen → GRAMMATIK

Ergänzen Sie die Sätze.

- **a** Entweder ihr sprecht in aller Ruhe miteinander, ...
- **b** In Frau Meinhardts Haus stehen zwar zwei Zimmer leer, ...
- **c** ..., desto preiswerter sind die angebotenen Wohnungen.
- **d** Mein Bankberater empfiehlt mir, nicht nur Wertpapiere zu kaufen, ...
- **e** ... noch möchte er zur Untermiete wohnen.
- **f** Über die Mitwohnzentrale kann man sowohl seine eigene Wohnung für eine bestimmte Zeit vermieten ...
- **g** ..., oder ich leihe dir nie mehr etwas.
- **h** Meine Freundin hat für ihr neues Auto mehr Geld ausgegeben als vorgesehen. Deshalb kann sie in diesem Jahr weder in Urlaub fahren ...
- **i** Je länger ich über dein Angebot nachdenke, ...
- **j** ..., aber sie kann sich nicht entscheiden, welchen sie nehmen soll.

zu Seite 28, 1

12 Formelle und informelle Briefe → SCHREIBEN

Was ist typisch für einen persönlichen Brief, was für einen formellen Brief, z. B. an eine Bank? Bitte kreuzen Sie die jeweils passenden Möglichkeiten an.

Merkmal	Beispiel	informell	formell
Datum	**a** Augsburg, 20. 1. 20..		
	b Frankfurt, den 20. Januar 20..		
	c 20.01. 20..		
	d Berlin, im Januar 20..		
Betreff	**e** Ihr Schreiben in der ... vom 20. 1. 20..		
	f Falsche Abbuchung		
	g *kein Betreff*		
Anrede	**h** Lieber Sven,		
	i Sehr geehrter Herr Müller,		
	j Hallo, Ihr Lieben,		
	k Sehr geehrte Damen und Herren,		
Register	**l** Du		
	m Ihr		
	n Sie		X

Merkmal	Beispiel	informell	formell
Gruß	ⓞ Herzliche Grüße		
	ⓟ Hochachtungsvoll		
	ⓠ Viele Grüße		
	ⓡ Mit freundlichen Grüßen		
	ⓢ Alles Liebe		

13 Emmas Glück → WORTSCHATZ/LESEN

ⓐ Lesen Sie den ersten Absatz der Filmkritik und unterstreichen Sie Textstellen, in denen der Film gelobt wird.

Beispiel: *berühren einen zutiefst*

ⓑ Lesen Sie den Text zu Ende und ergänzen Sie die folgenden Verben.

verwandelt – gehört – mitgeteilt – überschlägt – verstecken – zögert – befindet – vergreift – verschwinden

Videotipp

EMMAS GLÜCK

***Regie:* Sven Taddicken – Deutschland 2006 – *Länge:* 99 Minuten**

Liebe und Tod, nah beieinander

Es gibt Filme, die berühren einen zutiefst und schaffen es, jenen Balanceakt zwischen Freude und Trauer einzuhalten, der mittlerweile eine Seltenheit geworden ist. **Emmas Glück** ist eine dieser raren filmischen Perlen, die sich ohne falsches Pathos, aber mit viel Gefühl an die wirklich großen Themen des Lebens heranwagen und dabei auf ganzer Linie gewinnen.

Als Max, ein alleinstehender Autoverkäufer, eines Tages von seinem Arzt (1) .... bekommt, dass er Krebs im Endstadium hat und dass ihm deswegen nur noch wenig Zeit bleibt, bricht von einem Tag auf den anderen seine Welt zusammen. Max will nur noch weg, fliehen aus diesem Albtraum, in den sich sein Leben auf einen Schlag (2) .... hat. Er, der immer treu und loyal seinem Arbeitgeber gegenüber war, (3) .... sich an der Firmenkasse und klaut zu allem Überfluss auch noch den Jaguar seines Chefs und Freundes Hans. Sein Ziel: Irgendwo in den Süden, alles hinter sich lassen und die letzten Tage genießen, die ihm noch bleiben. Die rasende Fahrt in der schnellen Limousine ist aber schneller zu Ende als gedacht, Max kommt von der Straße ab, (4) .... sich mehrmals und findet sich schließlich verletzt auf einer Wiese wieder. Die (5) .... der jungen Schweinezüchterin Emma, deren Hof kurz vor dem Bankrott und der Zwangsversteigerung steht.

Emma (6) .... nicht lange und nimmt den Verletzten, um dessen Erkrankung sie nicht weiß, erst einmal bei sich auf, um ihn gesund zu pflegen. Als sie schließlich in dem Wrack noch das entwendete Bargeld findet, sieht sie die Chance gekommen, doch noch ihren Hof zu retten. Max allerdings, der gewissenhafte Pedant und Ordnungsfanatiker, will so schnell wie möglich vom Hof (7) ...., um endlich ans Meer zu kommen. Allerdings sind ihm sowohl die Polizei als auch Hans auf den Fersen, sodass er sich widerwillig auf Emmas Hof (8) .... muss. Ohne dass die beiden voneinander wissen, in welcher ausweglosen Situation sich der jeweils andere (9) ...., kommen sie sich langsam näher, freilich ohne es zu wollen. Doch die Zeit wird knapp, denn die Uhr läuft gegen die beiden, die sich ineinander verlieben ...

1 Gedicht lesen und hören

LERNER-CD 4

a Lesen Sie das folgende Gedicht von Johann Wolfgang von Goethe.

b Hören Sie die ersten beiden Strophen des Gedichts. Was fällt Ihnen bei der Betonung auf?

LERNER-CD 5

c Hören Sie das Gedicht ganz von der CD.

Erlkönig

Wer reitet so spät durch Nacht und Wind?
Es ist der Vater mit seinem Kind;
Er hat den Knaben wohl in dem Arm,
Er fasst ihn sicher, er hält ihn warm. –

Mein Sohn, was birgst du so bang dein Gesicht? –
Siehst, Vater, du den Erlkönig nicht?
Den Erlenkönig mit Kron' und Schweif? –
Mein Sohn, es ist ein Nebelstreif. –

„Du liebes Kind, komm, geh mit mir!
Gar schöne Spiele spiel' ich mit dir;
Manch' bunte Blumen sind an dem Strand;
Meine Mutter hat manch' gülden[1] Gewand."

Mein Vater, mein Vater, und hörest du nicht,
Was Erlenkönig mir leise verspricht? –
Sei ruhig, bleibe ruhig, mein Kind!
In dürren Blättern säuselt der Wind. –

„Willst, feiner Knabe, du mit mir gehn?
Meine Töchter sollen dich warten[2] schön;
Meine Töchter führen den nächtlichen Reihn
Und wiegen und tanzen und singen dich ein."

Mein Vater, mein Vater, und siehst du nicht dort
Erlkönigs Töchter am düstern Ort? –
Mein Sohn, mein Sohn, ich seh' es genau;
Es scheinen die alten Weiden so grau. –

„Ich liebe dich, mich reizt deine schöne Gestalt;
Und bist du nicht willig, so brauch' ich Gewalt." –
Mein Vater, mein Vater, jetzt fasst er mich an!
Erlkönig hat mir ein Leids getan! –

Dem Vater grauset's, er reitet geschwind,
Er hält in Armen das ächzende Kind,
Erreicht den Hof mit Mühe und Not;
In seinen Armen das Kind war tot.

[1] altes Wort für *golden*
[2] altes Wort für *pflegen, sorgen für*

d Lernen Sie die ersten beiden Strophen auswendig und tragen Sie sie in der Klasse vor. Unterstreichen Sie Ihren Vortrag mit der entsprechenden dramatischen Betonung.

2 Mit verteilten Rollen lesen

a Teilen Sie die Klasse in Gruppen mit je vier Personen. Verteilen Sie in der Gruppe die vier Rollen: der Erlkönig, der Vater, das Kind, der Sprecher.

b Jedes Gruppenmitglied sucht sich aus der folgenden Adjektiv-Liste heraus, wie es seine Rolle vortragen will.

ängstlich – beruhigend – genervt – gelangweilt/desinteressiert – nervös/hektisch – laut – leise – schüchtern – enthusiastisch – traurig – wütend – müde – neutral

c Jede Gruppe trägt das Gedicht vor. Die anderen raten, welche Adjektive für die verschiedenen Rollen gewählt wurden.

d Welche Gruppe hat das Gedicht am besten vorgetragen?

Lernkontrolle: Was haben Sie in dieser Lektion gelernt?

Kreuzen Sie an.

Rubrik	Handlungen	gut	besser als vorher	möchte ich noch vertiefen
Lesen	■ Einem Ratgeber zum Thema „Wohnungssuche" Hauptaussagen entnehmen.	☐	☐	☐
	■ Einer Internetreportage zum Einkaufen im Internet die Hauptinformationen entnehmen.	☐	☐	☐
Hören	■ Einem Auskunftsgespräch zu modernen Formen des Ein- und Verkaufs stichpunktartig Informationen entnehmen.	☐	☐	☐
	■ Einem Informationstext über verschiedene Bankserviceangebote zentrale Informationen entnehmen.	☐	☐	☐
Schreiben - Produktion	■ Für eine Kurszeitung einen Beitrag zum Thema „Lebenshaltungskosten international" auf der Basis eines Schaubilds verfassen.	☐	☐	☐
Schreiben - Interaktion	■ Persönliche Briefe den jeweiligen Adressaten angemessen im formellen Register verfassen.	☐	☐	☐
Sprechen - Interaktion	■ In Gesprächen zum Thema „Zimmersuche" als Anbieter und Suchender handeln.	☐	☐	☐
Wortschatz	■ Wortschatz und Wendungen zum Bereich „Wirtschaft" und „Privatfinanzen" differenziert und präzise verwenden.	☐	☐	☐
	■ Deutsche Sprichwörter und Redewendungen zum Thema „Geld" kennen und einsetzen können.	☐	☐	☐
Grammatik	■ Komplexe und kohärente Sätze mit zweiteiligen Konnektoren bilden.	☐	☐	☐
	■ In mündlichen Äußerungen eine bestimmte Absicht oder emotionale Färbung mithilfe von Modalpartikeln wie *ja*, *doch* usw. ausdrücken.	☐	☐	☐

Sprechen Sie mit Ihrer Kursleiterin / Ihrem Kursleiter über das Ergebnis. Sie/Er wird Ihnen Tipps zum Weiterlernen geben.

Verben

aufnehmen
auskosten
bedenken
betreuen
eingehen auf + *Akk.*
erläutern
erreichen mit + *Dat.*
festhalten
großziehen
halten für + *Akk.*
kegeln
sich einigen auf + *Akk.*
sich weigern
sorgen für + *Akk.*
übertragen auf + *Akk.*
vereinsamen
verkehren

Nomen

das Altersheim, -e
der/die Angehörige, -n
die Äußerung, -en
das Begräbnis
das Familienleben
der Greis, -e / die Greisin, -nen
der Kompromiss, -e
der Lebensabend
die Verpflichtung, -en
das Vorurteil, -e
das Werturteil, -e
die Würde

Adjektive/Adverbien

abweisend
alleinstehend
angepasst (un-)
anpassungsfähig
ansprechend
arbeitsam
aufmüpfig
aufrichtig (un-)
ausgeglichen (un-)
ausgelassen
bedrückt
beleibt
beliebt (un-)
bescheiden (un-)
draufgängerisch
desinteressiert
eingebildet
eitel
frech
freigebig
geeignet (un-)
gefühllos
geschmacklos
geschmackvoll
individualistisch
kompetent
konformistisch
legal
melancholisch
moralisch (un-)
nachlässig
oberflächlich
obrigkeitshörig
opferbereit
rational
religiös
schmerzhaft
sorgfältig
sparsam
tätig (un-)
temperamentvoll
tiefgründig
traditionsverbunden
ungezogen
unnahbar
üppig
vergnügt
vorurteilsbeladen
wackelig
wirklichkeitsnah
würdevoll
würdig (un-)

Ausdrücke

an jemandem einen Narren gefressen haben
aufmerksam machen auf + *Akk.*
Blut vergießen
den Lebensabend genießen
eine Thematik aufgreifen
in Erfahrung bringen
jemandem Gesellschaft leisten

3

1 Adjektive → **WORTSCHATZ**

Suchen Sie die passenden Adjektive. Finden Sie Antonyme und erklären Sie die Bedeutung.

Nomen	Adjektiv	Gegensatz	Bedeutung
die Arbeit	arbeitsam	faul	viel oder wenig arbeiten
der Geschmack			
die Religion			
die Schmerzen			
das Temperament			
die Würde			

LEKTION 3

zu Seite 31, 1

2 Fotos beschreiben → WORTSCHATZ

Betrachten Sie die Fotos im Kursbuch auf Seite 31 und ergänzen Sie die passenden Wörter.

1 *ebenfalls – jedenfalls*
2 *allerdings – außerdem*
3 *geht – wirkt*
4 *meint – heißt*
5 *frühen – vergangenen*
6 *leider – zwar*
7 *stattdessen – aber*
8 *über – für*

Das linke Foto zeigt einen etwa 7-jährigen Jungen beim Lesen eines Buches. Er sitzt mit aufgestütztem Kopf und wirkt sehr konzentriert. Auf dem anderen Foto ist (1) .... ein kleiner Junge zu sehen, (2) .... bei einer anderen Aktivität. Bei der Gegenüberstellung der Bilder (3) .... es um den Medienkonsum bei Kindern. Das (4) ...., es geht um das Lesen und das Fernsehen bzw. das Spielen mit elektronischen Medien wie zum Beispiel Videospielen. In den (5) .... Jahren und Jahrzehnten hat sich das Verhalten vieler Kinder in der westlichen Welt stark geändert. (6) .... lesen viele Kinder außerhalb der Schule kaum noch Bücher. (7) .... verbringen sie umso mehr Zeit vor dem Fernseher oder mit Computerspielen. (8) .... diese Entwicklung machen sich viele Lehrer und Politiker immer mehr Sorgen.

3

zu Seite 31, 2

3 Einen Kurzvortrag halten → LERNTIPP

a Ordnen Sie die Technik der Strategie zu.

Strategie während der Prüfung	Technik
auf eigene Körpersprache achten	Ich gebe bei einem Thema, das mir vertraut ist, Beispiele und erwähne Hintergrundwissen.
sein Wissen optimal einsetzen	Ich gehe auf die Aufgabe Punkt für Punkt ein.
Kommunikation sichern	Ich halte Blickkontakt mit den Beteiligten, also dem Partner/der Partnerin der Paarprüfung und den Prüfenden. Ich setze meine Hände ein und nehme eine offene Körperhaltung ein.
Lösungsweg und Lösung gestalten	Ich verbessere eigene Fehler selber, wenn möglich.
sich korrigieren	Ich spreche deutlich.

b Welche Strategie halten Sie persönlich für besonders wichtig? Warum? Begründen Sie in zwei bis drei Sätzen.

zu Seite 32, 2

4 Suffixe von Adjektiven

Was bedeuten diese Adjektive?

z.B.: *kosten**frei** = Etwas ist frei von Kosten, d.h., es kostet nichts.*

deutschsprachig =
mehrbändig =
empfehlenswert =
fortgeschritten =
hörenswert =

zu Seite 32, 2

5 **Wortbildung Adjektive → GRAMMATIK**

Ergänzen Sie die Suffixe *-sprachig*, *-haft*, *-bändig*, *-reich*, *-wert*, *-isch* und, falls nötig, die Endungen.

Alfred Brehm

Geboren wurde er am 2.2.1829 in Neustadt an der Orla. Dort starb er auch – und zwar am 11.11.1884. Er war der Sohn eines nam........................ Vogelkundlers. Wie sein Vater interessierte er sich für Tiere. Er unternahm zahl........................ Reisen nach Afrika, Spanien, Skandinavien und Sibirien. 1869 wurde er Direktor des Hamburger Zoolog........................ Gartens. Neben Reisebüchern schrieb er das mehr........................ Lexikon, das im deutsch........................ Raum bis heute unter dem Namen *Brehms Tierleben* bekannt und äußerst lesens........................ ist.

zu Seite 37, 11

P 6 **Fehler korrigieren → SCHREIBEN**

Lesen Sie folgende Zusammenfassung und korrigieren Sie in jedem Satz einen Fehler oder ergänzen Sie das fehlende Wort.

Fehler markieren	Korrektur
a In Brechts Erzählung „Die unwürdige Greisin" handelt es um eine alte Frau und ihre zwei Leben.	geht
b Viele Jahrzehnte hat sie um ihre Familie mit fünf Kindern gesorgt.	
c Die letzten zwei Jahre ihres Lebens macht sie konsequent nur noch, was sie gefällt.	
d Sie denkt nicht darüber, nach dem Tod ihres Mannes mit einem ihrer Kinder und dessen Familie zusammenzuziehen.	
e Stattdessen zieht sie es vor, allein leben.	
f Sie gönnt regelmäßige Kinobesuche, isst in einem Gasthof und mietet sich ein Fahrzeug für Ausflüge zum Pferderennen.	
g Sie freundet sich mit Menschen an, die nicht aus ihrer sozialen Schicht kommen, und diese sie finanziell unterstützt.	
h Ihre Familienbeziehungen dagegen interessieren wenig.	
i Ihren Sohn lädt sie bei seinem Besuch nicht zu sich ein, aber er muss in einem Gasthof wohnen.	
j Endlich sie genießt nach „den langen Jahren der Knechtschaft" die „kurzen Jahre der Freiheit".	

zu Seite 37, 11

7

Brief an den Bruder → SCHREIBEN

Versetzen Sie sich in die Rolle des Buchdruckers. Verfassen Sie einen Brief, wie er ihn seinem Bruder vielleicht geschrieben hat. Berichten Sie über die Großmutter. Orientieren Sie sich an den vorgegebenen Satzanfängen. Sie können diese auch ergänzen oder durch andere ersetzen.

... im Juni ...

Mein lieber Bruder,

wie Du weißt, mache ich mir große Sorgen um unsere Mutter. Sie ist nicht wiederzuerkennen.
Stell Dir nur vor, was ich gestern erfahren habe: ...

Dann hat/ist sie doch tatsächlich ...
Außerdem war sie schon wieder ...
Dort hat sie angeblich ...
Weißt Du auch, mit wem sie neuerdings ...?
Sie scheint mir tatsächlich ...
Was sollen wir nur tun? Die gesamte Stadt redet schon über unsere Familie!

Dein Bruder ...

3

zu Seite 37, 13

8

Lebenslauf → WORTSCHATZ

Setzen Sie die Verben in der korrekten Form ein.

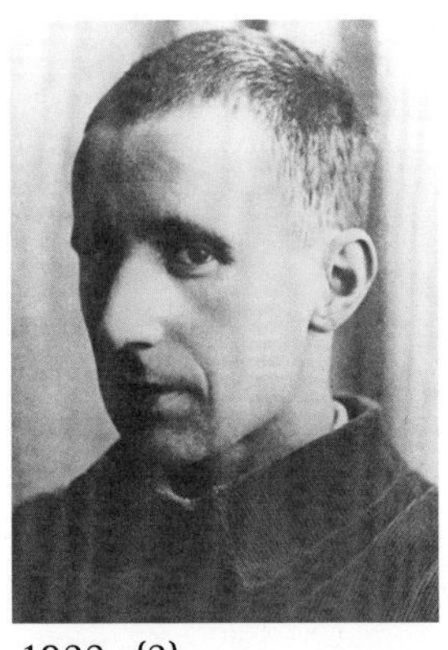

Brecht (0) ...wurde... am 10. 2. 1898 in Augsburg als Sohn eines Fabrikdirektors ...geboren....

Seine Militärzeit (1) .... er als Kriegsdiensthelfer in einer Schreibstube und als Sanitäter im Lazarett. 1917 (2) .... er sich an der Universität in München in den Fächern Medizin, Theaterwissenschaft und Philosophie. Aus seiner Beziehung mit Paula Banholzer ging 1919 der uneheliche Sohn Frank hervor. (Dieser Sohn fiel 1943 im Zweiten Weltkrieg.) 1922 (3) .... er Marianne Zoff, von der er sich 1927 (4) .... ließ. 1923 (5) .... Marianne Zoff die Tochter Hanne zur Welt. 1926 begann Brecht, sich mit den Schriften von Karl Marx zu (6) .... 1929 heiratete er Helene Weigel. 1930 (7) .... die Tochter Barbara zur Welt. 1933 (8) .... Brecht zusammen mit Helene Weigel und seinen Kindern über Prag, Wien und Zürich vorerst nach Dänemark .... 1935 wurde er von den Nazis aus Deutschland (9) .... 1939 (10) .... Brecht mit seiner Familie sowie den Freundinnen bzw. Mitarbeiterinnen Ruth Berlau und Margarete Steffin nach Stockholm. 1941 reisten sie weiter nach Helsinki, Moskau und schließlich nach Santa Monica in den USA. 1947 (11) .... Brecht eine Vorladung vor das „Komitee für unamerikanische Umtriebe“, woraufhin er in die Schweiz (12) .... 1949 (13) .... er zusammen mit Helene Weigel das „Berliner Ensemble“. 1950 erhielt er die österreichische Staatsbürgerschaft. 1956 (14) .... Brecht im Alter von 58 Jahren an einem Herzinfarkt.

- ausbürgern
- ausreisen
- beschäftigen
- bringen
- emigrieren
- erhalten
- ~~geboren werden~~
- gründen
- heiraten
- immatrikulieren
- kommen
- scheiden
- sterben
- verbringen
- ziehen

zu Seite 37, 13

9 Kreuzworträtsel → WORTSCHATZ

Welche schwierigen Wörter aus der Erzählung „Die unwürdige Greisin" passen hier?
Lösung: Berühmte Dramenfigur von Bertolt Brecht

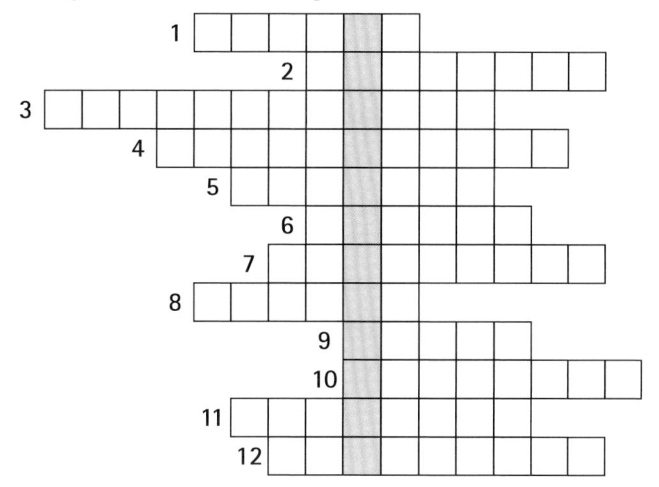

1 Krankheit, bei der die Patienten in Atemnot geraten – 2 instabil, nicht fest gebaut – 3 so ist ein Mensch, der im Gleichgewicht, entspannt ist – 4 gut gelaunt, lebhaft – 5 altes Wort für Helfer, Mitarbeiter – 6 Sport ähnlich wie Bowling – 7 katholische Feier im Alter von ca. 10 Jahren – 8 jemanden besonders mögen: an ihm einen ... gefressen haben – 9 älteres Wort für Zimmer, auch in der Formulierung: *die gute ...* – 10 Handwerker, der Schuhe macht und repariert – 11 knusprig hartes, haltbares Gebäck – 12 ein- und ausgehen, besuchen

zu Seite 38, 2

10 Redemittel für Referate → SCHREIBEN/SPRECHEN

Ordnen Sie die Redemittel in der Spalte rechts den Gliederungspunkten für Referate zu.

Gliederungspunkte	Redemittel
Anrede	*Ich möchte zunächst folgende Frage ...*
	Sehr geehrte Damen und Herren, ...
Einleitung	*Man darf nicht vergessen, einen weiteren Punkt zu betrachten, ...*
	Liebe Kolleginnen und Kollegen, ...
	Ich danke Ihnen für Ihre Aufmerksamkeit.
Argumentation	*Abschließend lässt sich also festhalten, dass ...*
	Einleitend möchte ich folgende These aufstellen: ...
	Lassen Sie mich so beginnen: ...
Schluss	*Ich hoffe, Sie/euch ein bisschen für das Thema interessiert zu haben, und danke Ihnen/euch fürs Zuhören.*
	Hinzu kommt noch ein Argument für/gegen ...
Dank an die	*Am Ende möchte ich ...*
Zuhörer	*Außerdem stellt sich doch die Frage, ...*

3

zu Seite 39, 1

11 Adjektive - Charakter → WORTSCHATZ

Setzen Sie jeweils die passenden Wortpaare in die Lücken ein. Achten Sie auch auf die richtige Endung. Einige Formen sind im Komparativ einzusetzen.

aufmüpfig – obrigkeitshörig
ausgelassen – bedrückt
konformistisch – individualistisch
freigebig – sparsam
nachlässig – sorgfältig

a) Auch wenn sie vielleicht öfter mal pleite sind, mag ich .... Menschen lieber als allzu ....

b) Im Büro von meinem Mann ist es furchtbar unordentlich. Ich wollte, er wäre nicht so .... und würde etwas .... mit den Dingen umgehen.

c) Frau Siebert ist seit vielen Jahren Sekretärin in einer kleinen Firma. Was ihre Vorgesetzten sagen, ist für sie immer „oberstes Gesetz". Sie ist im Grunde vollkommen .... Ihre junge Kollegin, die ihre eigene Meinung vertritt und manchmal etwas .... ist, kann sie nicht verstehen.

d) Seit der Trennung von seiner Frau ist Anton Meier häufig sehr still und wirkt .... Dabei war er doch früher so oft in .... Stimmung.

e) Früher hat Sabine immer viel Wert auf ihren eigenen Stil gelegt und war eher .... Heutzutage muss sie jede Mode mitmachen. Das scheint mir sehr .... zu sein.

zu Seite 39, 2

12 Adjektive mit Vor- und Nachsilben → GRAMMATIK

a) Bilden Sie zu folgenden Nomen möglichst viele Adjektive mit Vor- oder Nachsilben.

Nomen	Adjektive mit Vorsilben *a-, an-, des-, ir-, in-, non-, un-*	Adjektive mit Nachsilben *-frei, -leer, -los*
die Aussicht		
das Blei		
das Blut		
das Interesse	desinteressiert	
das Ergebnis		
die Liebe		
die Ordnung		
das Organ		
die Politik		
die Relevanz		
die Stabilität		
die Toleranz		
die Vernunft		
das Vorurteil		

b) Bilden Sie zehn Beispielsätze mit den Adjektiven.

zu Seite 39, 2

13 Zusammengesetzte Adjektive → GRAMMATIK

Erklären Sie die Bedeutung der Adjektive.
Schlagen Sie dazu in Ihrem Wörterbuch zuerst den letzten Teil des Adjektivs nach (= das Grundwort), anschließend das Bestimmungswort.

Adjektiv	Grundwort	Bestimmungswort	Bedeutung
anpassungsfähig	*fähig*	*sich anpassen die Anpassung*	*kann sich leicht/gut anpassen/gewöhnen an, angleichen*
durchsetzungsfähig			
geschäftstüchtig			
opferbereit			
traditionsverbunden			
unternehmungslustig			
vorurteilsbeladen			
wirklichkeitsnah			

zu Seite 39, 2

14 Wortbildung der Adjektive → WORTSCHATZ/GRAMMATIK

a Ordnen Sie Adjektive mit gleicher Bedeutung zu.

desinfiziert – desinteressiert – ~~desorganisiert~~ – desorientiert – destruktiv – desillusioniert

Adjektiv		Paraphrase
		enttäuscht, ernüchtert
		gleichgültig, egal
desorganisiert	=	ungeordnet
		verwirrt
		von Bakterien, Keimen, Schmutz befreit
		zerstörerisch

b Welche Vorsilbe passt zur Negation dieser Adjektive? Nehmen Sie Ihre Kenntnisse anderer Sprachen (z. B. Lateinisch, Englisch, Französisch) oder Internationalismen zu Hilfe.

	a-	il-	in-	miss-	non-	un-
moralisch	*amoralisch*					*unmoralisch*
akzeptabel						
vergnügt						
konformistisch						
legitim						
typisch						
symmetrisch						
sozial						

zu Seite 39, 3

15 Artikelwörter und Adjektivendung → GRAMMATIK

Ergänzen Sie im folgenden Text jeweils die richtigen Adjektivendungen.

a Die Großmutter des Erzählers hatte zwar mehrere eigen.e.. Kinder, verkehrte aber nach dem Tod ihres Mannes hauptsächlich mit anderen jünger............... Leuten.

b Viele lang............... Jahre hatte sie sich um ihre Familie gekümmert und sich keine besonder............... Freuden gegönnt.

c Endlich konnte sie nun einmal an sich denken und noch einige schön............... Jahre verleben.

d Sie verbrachte so manche angenehm............... Nachmittage bei einem Flickschuster, der immer ein paar fröhlich............... Leute um sich hatte. Sie erzählten sich bei einem Glas Wein allerlei lustig............... Geschichten.

e Ihr Sohn, der Buchdrucker, meinte, dass alle anständig............... Menschen des Städtchens ihr Verhalten und vor allem ihre regelmäßig............... Kinobesuche missbilligten.

zu Seite 39, 4

16 Klischee oder Wahrheit? → WORTSCHATZ

a Kombinieren Sie passende Satzteile und entscheiden Sie, ob die Aussage Ihrer Meinung nach zutrifft oder ob es sich dabei um ein Klischee bzw. Vorurteil handelt. Begründen Sie Ihre Entscheidung.

Beispiel: *Die Briten haben den Ruf, stets höflich und korrekt zu sein. Das ist meiner Meinung nach richtig, denn ich habe in England Erfahrungen gemacht, die das bestätigen. Ich habe zum Beispiel erlebt, wie ...*

Nationalität	Eigenschaft	Klischee	wahr
Die meisten Japaner sind	eine Waffe zu besitzen.		
Italienische Männer lassen sich	sie seien gemütlich und bierselig.		
Viele Franzosen gelten als	kommunikative Menschen.		
Die Briten haben den Ruf,	von ihrer Mutter ein Leben lang verwöhnen.		
So mancher Amerikaner besteht darauf,	ist sprichwörtlich.		
Den Bayern sagt man nach,	fleißig wie die Ameisen.		
Viele Rheinländer sind	Patrioten und Frauenhelden.		
Norddeutsche hält man für	steif und wortkarg.		
Von den Spaniern sagt man,	rauchen den stärksten Tabak.		
Von Finnen und Russen kann man	stets höflich und korrekt zu sein.		X
Die Türken, so heißt es,	Schnaps trinken lernen.		
Die Schönheit polnischer Mädchen	sie seien ein stolzes Volk.		

b Setzen Sie sich in Kleingruppen zusammen und überlegen Sie sich Sätze, die Sie wie in Übung **a** zweiteilen. Die anderen Gruppen müssen raten, was zusammengehören könnte.

zu Seite 40, 1

17 Posteraktion → SCHREIBEN

Lesen Sie folgendes Gespräch und ergänzen Sie passende Redemittel aus dem Kursbuch auf Seite 40.

Person A | **Person B**

Person A: Also wenn du mich fragst, ..ich finde.. das Poster rechts mit Omi und Opi auf dem Motorrad ....sehr geeignet..... für unsere Aktion. Alles dreht sich doch heutzutage um die Jugend. Besonders .... , dass hier so viel Fröhlichkeit und Positives ausgestrahlt wird.

Person B: Damit magst du .... , ich finde aber, die Problematik, die auf dem Poster links ...., trifft doch viel eher ein Phänomen unserer Zeit. Es gibt immer noch viele Vorurteile gegenüber jungen Leuten, die sich „punkig" oder provokativ kleiden, auch wenn sie sich ansonsten ganz „normal" verhalten.

Person A: Ich .... , aber wir .... überlegen, wen wir damit eigentlich erreichen wollen. Ich denke, die Zielgruppe ist ganz entscheidend für unsere Wahl. Und das sind doch, wenn wir es beispielsweise in Schulen aufhängen, zum großen Teil junge Leute. Die muss man doch für die Probleme der älteren Menschen sensibilisieren.

Person B: Mir gefällt zwar immer noch das Punk-Poster sehr gut, aber im Grunde ist es .... , welches wir nehmen. Von mir aus können wir uns diesmal auf das rechte Poster .... Nächstes Mal steht dann aber wieder mehr die Jugend im Mittelpunkt, okay?

Person A: Gut, damit bin ich einverstanden.

zu Seite 40, 1

18 Redemittel Problemlösung → HÖREN

LERNER-CD 6

a Sie hören ein Gespräch. Unterstreichen Sie in der Liste unten, welche Sätze Sie gehört haben.

b Ergänzen Sie nun die passenden Begriffe zu den Sätzen in der Spalte rechts.

Alternativ-Vorschlag – Einschränkung – Kompromissvorschlag – Meinung ausdrücken – Reaktion auf einen Vorschlag – Rückfragen – ~~Vorschlag und Begründung~~ – Widersprechen

Vorschlag und Begründung	*Ich schlage vor, ..., und zwar aus folgendem Grund: ...* *Ich finde, wir sollten ..., und zwar weil ...*
	Das ist eine gute Idee. *Das halte ich nicht für einen guten Vorschlag.*
	Ich hätte einen anderen Vorschlag. *Wie wäre denn Folgendes: ...*
	Wie meinen Sie das? *Verstehe ich Sie richtig? Sie meinen, ...?*
	Meiner Meinung nach ..., weil ... *Ich finde auch, ..., denn ...*
	Man darf aber/allerdings nicht vergessen, ...
	Da bin ich anderer Meinung. *Da würde ich Ihnen gerne/muss ich Ihnen leider widersprechen.*
	Vielleicht können wir uns so einigen: ... *Wäre es nicht am besten, wenn wir ...?*

3

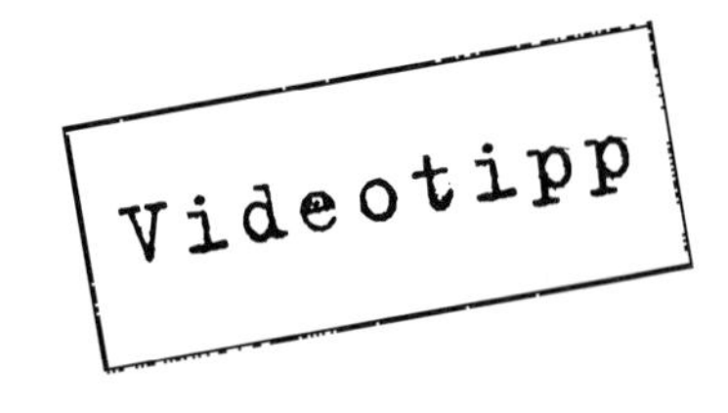

19 Das Parfum → WORTSCHATZ

a Lesen Sie den ersten Absatz des Textes und kreuzen Sie an. Die Filmkritik ist ...

		Textstelle
eindeutig positiv		
sowohl positiv als auch negativ		
eher negativ		

b Bringen Sie die Absätze zum Filminhalt in die richtige Reihenfolge.

DAS PARFUM

Deutschland/Spanien/Frankreich 2005/2006
***Regie:* Tom Tykwer – *Drehbuch:* Andrew Birkin, Bernd Eichinger, Tom Tykwer**
***Darsteller:* Dustin Hoffman, Ben Whishaw, Alan Rickman, Rachel Hurd Wood**

3

Eine Literaturverfilmung, die in ihrem Erscheinungsbild brillant anmutet, der Originalvorlage in weiten Zügen treu geblieben ist, aber dennoch eine generelle Schwierigkeit aufzeigt: dass nämlich die filmische Verarbeitung von Bestsellern immer eine Interpretation des Originals ist und dass dabei zwangsläufig einiges an Inhalt verloren geht. Mitunter auch ganz zentrale Aspekte.

Inhalt:

☐ Er besitzt die beste Nase Frankreichs und kann Millionen von Gerüchen meilenweit erschnuppern. Nach einer harten Kindheit in der Gerberei von Grimal trifft er auf den alternden Parfumeur Giuseppe Baldini, der sein Talent erkennt und als Gesellen einstellt.

☐ Also begibt er sich in die Stadt Grasse, dem „Rom der Düfte", wo er hofft, die geheimnisvolle Kunst der Enfleurage erlernen zu können, eine besondere Technik, mit der man sämtliche Düfte festhalten kann. War Jean-Baptistes Streben bis dahin eher ziellos, so gewinnt er auf der Reise nach Grasse eine für ihn schreckliche Erkenntnis:

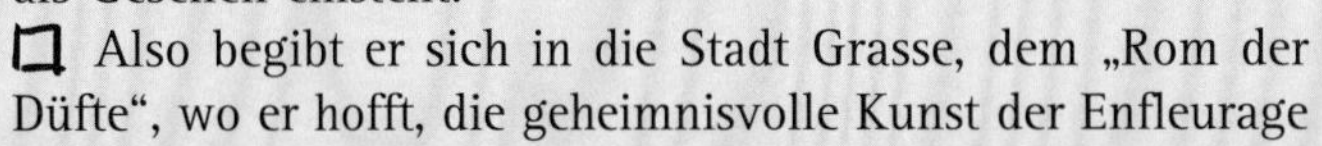

☐ Seine wichtigsten Ingredienzien hierfür: der Duft dreizehn junger, unberührter und bildhübscher Mädchen. Auch auf Laura, die Tochter des Kaufmanns Antoine Richis, hat es Grenouille abgesehen.

☐ Unter Baldinis Anleitung lernt Grenouille, Düfte zu extrahieren und zu konservieren. Doch eines Tages merkt er, dass die Methoden seines Lehrmeisters beschränkt sind und z.B. den Duft eines Menschen nicht einfangen können. Genau das aber will der junge Parfumeurgeselle.

1 Paris im Jahre 1738: Auf einem stinkenden Fischmarkt bringt eine junge Frau klammheimlich ein Baby zur Welt. Jean-Baptiste Grenouille, wie der Junge später heißen wird, ist mit einer außergewöhnlichen Gabe gesegnet:

☐ Alles um ihn herum riecht, nur er selbst besitzt keinen Geruch, weswegen er oft übersehen wird. Doch Jean-Baptiste möchte geliebt werden und beschließt deshalb, ein Parfum zu kreieren, dem keiner widerstehen kann.

1 Wörter des Jahrhunderts

LERNER-CD 7

a Hören Sie eine Auswahl aus 100 Wörtern, die Journalisten als „Spiegel unserer Zeit" ausgewählt haben. Unterstreichen Sie beim Hören die betonten Silben.

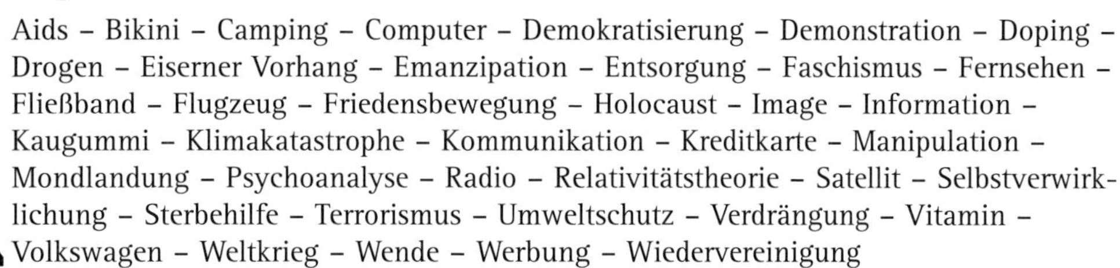

Aids – Bikini – Camping – Computer – Demokratisierung – Demonstration – Doping – Drogen – Eiserner Vorhang – Emanzipation – Entsorgung – Faschismus – Fernsehen – Fließband – Flugzeug – Friedensbewegung – Holocaust – Image – Information – Kaugummi – Klimakatastrophe – Kommunikation – Kreditkarte – Manipulation – Mondlandung – Psychoanalyse – Radio – Relativitätstheorie – Satellit – Selbstverwirklichung – Sterbehilfe – Terrorismus – Umweltschutz – Verdrängung – Vitamin – Volkswagen – Weltkrieg – Wende – Werbung – Wiedervereinigung

b Welche Wörter gibt es in Ihrer Sprache auch?

c Ordnen Sie die Ihnen bekannten Wörter nach ihrer Herkunft in die Liste unten ein.

Deutsch	Fremdwörter/Internationalismen
	Aids

2 Betonung von Fremdwörtern

LERNER-CD 8

Hören Sie die folgenden Wörter und kreuzen Sie an, auf welcher Silbe die Wörter betont sind.

	Silbe				Silbe		
Fremdwort	**erste**	**mittlere**	**letzte**	**Fremdwort**	**erste**	**mittlere**	**letzte**
Alibi				Interview			
Annonce				Kriminalität			
Architekt				Kritik			
Artikel				Mathematik			
Computer				Informatik			
Glosse				Psychologie			

3 Ergänzen Sie die Regeln zum Wortakzent.

Deutsche Wörter, z. B. *Greisin*, werden meistens auf der .... Silbe betont.
Bei Komposita, z. B. *Lebensabend*, liegt der Hauptakzent auf dem .... Wort.
.............Trennbare............ Vorsilben wie z. B. in *großziehen*, *Vorurteil* werden betont.
Untrennbare Vorsilben wie z. B. in *Verpflichtung* werden .... betont.
In Fremdwörtern wie z. B. *Kompromiss* richtet sich die Aussprache nach der Herkunftssprache, in diesem Fall Latein.

4 Wörter brummen

LERNER-CD 9

a Lesen Sie die Wörter in **c**.

b Hören Sie jedes dieser Wörter jetzt gebrummt.

c Markieren Sie die Reihenfolge, in der Sie die Wörter hören.

☐ Prost ☐ Profil ☑ 1 Produktivität ☐ Professor
☐ Probe ☐ Produkt ☐ Programmiererin ☐ Problematik

5 Wörter raten

Wählen Sie eines der folgenden Wörter. Brummen Sie es laut.
Die anderen Teilnehmer raten, welches Wort Sie gemeint haben.
Bei falschen Lösungen brummen Sie das Wort noch einmal.

- Beschäftigung
- Geschichte
- unwürdig
- Sohn
- Fotografie
- Großzügigkeit

Lernkontrolle: Was haben Sie in dieser Lektion gelernt?

Kreuzen Sie an.

Rubrik	Handlungen	gut	besser als vorher	möchte ich noch vertiefen
Lesen	■ Einen literarischen Ganztext - eine Erzählung - lesen und implizierte Aussagen und Anspielungen interpretieren.	☐	☐	☐
Hören	■ Einen Liedtext inhaltlich erschließen und nach dem Hören ergänzen.	☐	☐	☐
Schreiben - Produktion	■ Ein Referat über „Lebensformen älterer Menschen" schriftlich ausarbeiten.	☐	☐	☐
Sprechen - Produktion	■ Einen Kurzvortrag zum Thema „Lesen versus Fernsehen" ausarbeiten und vortragen.	☐	☐	☐
	■ Eine Besprechung eines Hörbuches nach der Analyse eines Beispiels selbst verfassen und präsentieren.	☐	☐	☐
Wortschatz	■ Sich mithilfe von Adjektiven differenziert zum Thema „Eigenschaften von Menschen und Vorurteile" ausdrücken.	☐	☐	☐
Grammatik	■ Die Bedeutung von Adjektiven mithilfe von Vor- und Nachsilben erschließen.	☐	☐	☐
	■ Adjektive richtig deklinieren.	☐	☐	☐

Sprechen Sie mit Ihrer Kursleiterin / Ihrem Kursleiter über das Ergebnis. Sie/Er wird Ihnen Tipps zum Weiterlernen geben.

Verben

ablecken + *Akk.*
anheben
aufeinanderprallen
flüstern
kauen
meckern
nachahmen
nachschauen
nörgeln
piepsen
etwas/jemanden schätzen
plappern
plaudern
quatschen
schlürfen
schmatzen
schwafeln
schwätzen
seufzen
sich benehmen
sich etwas borgen
sich erheben
etwas unterlassen
etwas überladen
verankern
wispern
zitieren
auf jemanden zugehen
jemandem zunicken

Nomen

der Anstand
das Benehmen
das Büfett, -s
der Code, -s
das Dinner
das Geheimnis, -se
die Faustregel, -n
der Fleck, -e
die Manieren (Plural)
der Nachschub
die Ohrfeige, -n
der Rang, ¨-e
der Ranghöhere, -n
der Rangniedrigere, -n
der Small Talk
das Smiley, -s
der Stil, -e
die SMS, -
die Tischsitte, -n
die Umgangsform, -en
die Verschwörung, -en
die Wertschätzung
die Zigarettenkippe, -n

Adjektive/Adverbien

angemessen (un-)
appetitlich (un-)
aufdringlich (un-)
angetrunken
arrogant
brisant
charmant
entscheidungsschwach
flexibel (un-)
gehütet
kommunikativ (un-)
kreativ
lediglich
locker
patzig
peinlich
schlampig
schnippisch
selbstbewusst
streng
systematisch (un-)
verblüfft
verpönt
vornehm
wortwörtlich
zögerlich
zurückhaltend
zuverlässig (un-)
zuvorkommend

Ausdrücke

einem das Wort im Munde herumdrehen
einen Eindruck vermitteln
das Schärfste ist ...
der Stoßseufzer
die Tür vor der Nase zufallen lassen
jemandem etwas reichen
passé sein
kein Blatt vor den Mund nehmen
nicht auf den Mund gefallen sein
Reden ist Silber, Schweigen ist Gold
reden, wie einem der Schnabel gewachsen ist
sich etwas verkneifen
sich zusammenraufen
tabu sein
um den heißen Brei herumreden
wie ein Wasserfall reden

1 Redewendungen und Ausdrücke → **WORTSCHATZ**

Wählen Sie zu zweit einen Ausdruck aus.
Spielen Sie einen kurzen Dialog, in dem dieser Ausdruck, wenn möglich am Ende des Dialogs, vorkommt. Sie sagen aber statt der Redewendung „PIEP".
Die anderen müssen die Redewendung erraten.

Beispiel: ■ *Wo warst du denn gestern? Ich habe eine Stunde lang auf dich gewartet.*
● *Ja, also ... Du weißt doch ... Da kam erst mal der Bus zu spät. Tja. Und dann, wie immer ... MMM. Ich kann echt nichts dafür. Wirklich. Es war total blöd. Aber ...*
■ *Sag mir endlich, was los war, und PIEP!*

Die Antwort ist: **„Red nicht um den heißen Brei herum."**

zu Seite 44, 4

2 Party-Gespräche → **WORTSCHATZ**

Ratsch und Tratsch über Partygäste!

Ergänzen Sie den Dialog.

zuvorkommend – streng – rücksichtslos – aufdringlich – angetrunken – schnippisch/arrogant – zurückhaltend – peinlich – angemessen – unpassend

1 ■ Na ja. Die Party scheint wieder total langweilig zu werden. Überhaupt nicht locker. Alle so steif und ....
Ich trau mich gar nicht zum Büfett zu gehen. Weiß gar nicht, wie ich mich ....angemessen.... verhalten soll. Bestimmt mach ich wieder alles falsch.

2 ■ Aber guck mal. Da drüben, der Typ sieht echt süß aus.
● Ja, mit dem habe ich mich schon unterhalten. Der sieht nicht nur gut aus, sondern ist auch noch total .... Er hat mir gleich ein Glas Sekt geholt.
■ Echt? Mit dem muss ich auch mal reden.

3 ■ Schau mal, Jan! Wie der wieder rumläuft. Er hätte wirklich mal was anderes anziehen können. Die Jeans und das T-Shirt. Absolut .... für so eine Party.
● Na ja, aber er scheint sich gut zu amüsieren.

4 ■ Und da drüben, die Frau, die mit niemandem redet. Sie kommt sich wohl ganz toll vor. Die sieht total .... aus. Findest du nicht?
● Ich weiß nicht, vielleicht kennt sie niemanden und ist nur schüchtern und ....

5 ■ Und Tazio hat wohl ein paar Gläschen zu viel! Ist wohl schon ein bisschen .... Er spricht jede Frau an. Und nun verschüttet er auch noch sein Glas Wein. Wie .... !

6 ■ Und Carla, unsere Partymaus. Wie immer! Redet einfach mit jedem. Merkt aber nicht, wenn der andere keine Lust hat. Ganz schön ....
● Aber sie sieht wie immer gut aus. Das musst du zugeben.

7 ■ Und da der Typ am Büfett – drängelt sich einfach vor! Wie .... !
● Du, ich glaub, ich geh mal zu dem smarten jungen Mann.
■ Du kannst mich doch nicht alleine lassen!

zu Seite 44, 4

3 Alles auf Zucker → **LESEN/WORTSCHATZ**

a Lesen Sie die Inhaltsangabe des Films. Was glauben Sie?
Der Film ist
- ☐ ein Krimi.
- ☐ eine Komödie.
- ☐ ein ernster Film.

b Finden Sie im Text umgangssprachliche Formulierungen mit der gleichen Bedeutung.

1. Jaeckie Zucker *hat sehr viele Probleme.* ....
2. Der Tod seiner Mutter *ist ihm egal.* ....
3. Aber *er hofft auf* viel Geld. ....
4. Die zwei Brüder haben unterschiedliche Lebensstile. ....
5. Sie müssen *sich arrangieren.* ....

ALLES AUF ZUCKER

Videotipp

Regie: **Dani Levy – Deutschland 2004 –** ***Länge:*** **95 Minuten**
Darsteller: **Henry Hübchen, Hannelore Elsner und andere**

Dem arbeitslosen ehemaligen DDR-Sportreporter Jaeckie Zucker (Henry Hübchen) steht das Wasser bis zum Hals - seine Frau (Hannelore Elsner) droht ihm mit der Scheidung, der Gerichtsvollzieher mit dem Knast. Letzte Hoffnung für Zucker: das Erbe seiner Mutter. Doch die verlangt in ihrem Testament, dass Jaeckie sich mit seinem Bruder Samuel (Udo Samel) versöhnt, einem orthodoxen Juden. Erst dann bekommt er das Geld. Jaeckie wittert eine hübsche Summe Geld.
Jaeckie Zucker ist zwar Jude. Doch mit dem „jüdischen Club“ wollte er eigentlich nichts mehr zu tun haben. Deshalb lässt es Zucker auch kalt, als er vom Tod seiner Mutter hört.
Weniger kalt lässt ihn dagegen der Besuch seines Bruders Samuel, der mit seiner ganzen Familie in Jaeckies chaotischem Haushalt anrückt, um mit ihm die siebentägige jüdische Totenwache zu halten.
Zwei Welten prallen aufeinander! Doch die beiden verfeindeten Sturköpfe haben keine Wahl: Sie müssen sich zusammenraufen ...
Regisseur Dani Levy, selbst jüdischer Herkunft, hat mit „Alles auf Zucker“ einen selbstironischen Film über das Jüdischsein im heutigen Deutschland gedreht.

zu Seite 46, 6

4 **So nicht! Benimmregeln bei Einladungen → WORTSCHATZ/GRAMMATIK**

Formulieren Sie zu jeder Person Regeln mit *sollte* oder Imperativ.

Beispiel: *Man sollte pünktlich zu einer Essenseinladung kommen / Kommen Sie zu einer Einladung pünktlich. Man sollte nie/auf keinen Fall ...*

zu Seite 46, 6

5 **Benimmregeln → GRAMMATIK**

Spiel

Sie würden sich gerne mal so richtig danebenbenehmen? Überlegen Sie sich zu zweit eine Situation. Spielen Sie die Szene ohne Worte vor. Die anderen müssen erraten, wo Sie sind und was passiert ist. Und sie sagen Ihnen, wie Sie sich richtig benehmen sollen.

Sie sind in einem Café oder Restaurant.

Ja. Stimmt.

Sie sollten keine SMS schreiben. Sie sollten ihr zuhören und Interesse zeigen, was sie erzählt. Oder beteiligen Sie sich am Gespräch.

zu Seite 46, 6

6 **Benimmregeln im Passiv → GRAMMATIK**

Benehmen in aller Welt leicht gemacht! Formulieren Sie die kursiv markierten Sätze im Passiv.

a In Argentinien soll es selbstverständlich sein, *dass man jeden einzeln und nicht alle gemeinsam begrüßt.*
In Argentinien soll es selbstverständlich sein, dass ....*jeder einzeln begrüßt wird und*.....
.....*nicht alle gemeinsam*.......

b Man sagt, *in Japan nimmt man eine Visitenkarte mit beiden Händen und studiert sie genau. Dann erst legt man die Karte sorgfältig in die Brieftasche.*
Man sagt, in Japan ....
Dann erst ....

c In Ghana soll es üblich sein, *dass man den Gast nach einer Einladung nach Hause bringt.*
In Ghana soll es üblich sein, ...

d *Angeblich bietet man in Samoa dem Gast immer einen Sitzplatz an*, auch wenn andere Leute deshalb stehen müssen.
....

e In Singapur ist es unüblich, *dass man Geschenke sofort auspackt.*
Es ist in Singapur unüblich, dass ....

zu Seite 48

7 Formeller Brief → WORTSCHATZ

Kreuzen Sie die in die Lücke passende Wendung an.

Ihre Bewerbung vom 12.7. um die Stelle als Bereichsleiterin

(0) Frau Konrad,

(1) Dank für Ihre Bewerbung. Ihre Zeugnisse und Unterlagen haben einen guten Eindruck auf uns (2), und wir möchten Sie deshalb zu einem Vorstellungsgespräch einladen.

In diesem Gespräch würden wir Sie gern mit unserem Unternehmen (3) machen und uns mit Ihnen über Ihre Bewerbung unterhalten.

Als Termin schlagen wir Mittwoch, den 20. Juni (4). Wenn Ihnen dieser Tag nicht zusagt, kontaktieren Sie bitte meine Sekretärin, Frau Huber, und (5) Sie mit ihr einen Termin.

Wegen der langen Anfahrt (6) es ratsam, am Vortag anzureisen. Frau Huber wird Ihnen gern ein Hotelzimmer reservieren.
(7) sind Sie unser Gast. Zur Erstattung der Reisekosten haben wir diesem (8) ein entsprechendes Formular beigelegt und bitten Sie, uns dieses nach der Reise ausgefüllt zurückzuschicken.

Wir freuen uns auf Ihren Besuch und (9) Ihnen eine angenehme Anreise.

Mit freundlichen Grüßen

Hanna Meyer

Hanna Meyer
Geschäftsführerin

(10)
Formular Reisekostenerstattung

(0)
(X) Sehr geehrte
(B) Sehr verehrte
(C) Verehrte

(1)
(A) herzlichen
(B) freundlichen
(C) besonderen

(2)
(A) erweckt
(B) gemacht
(C) hinterlassen

(3)
(A) verbunden
(B) vertraulich
(C) bekannt

(4)
(A) auf
(B) nach
(C) vor

(5)
(A) bestellen
(B) vereinbaren
(C) besprechen

(6)
(A) war
(B) wäre
(C) würde

(7)
(A) Möglicherweise
(B) Selbstverständlich
(C) Wahrscheinlich

(8)
(A) Antrag
(B) Schreiben
(C) Vorgang

(9)
(A) hoffen
(B) erwarten
(C) wünschen

(10)
(A) Anlage
(B) Beilage
(C) Auslage

zu Seite 49, 4

8 Duzen und Siezen → LESEN

a Überfliegen Sie die Meinungen im Chat-Forum. Was ist richtig? Kreuzen Sie an.

- ☐ In Deutschland gibt es ganz klare Regeln, wann man duzt und wann man siezt.
- ☐ Es gibt zwar Regeln, aber oft ist das Duzen und Siezen auch individuell unterschiedlich.

b Ergänzen Sie „du/Sie" oder „duzen/siezen".

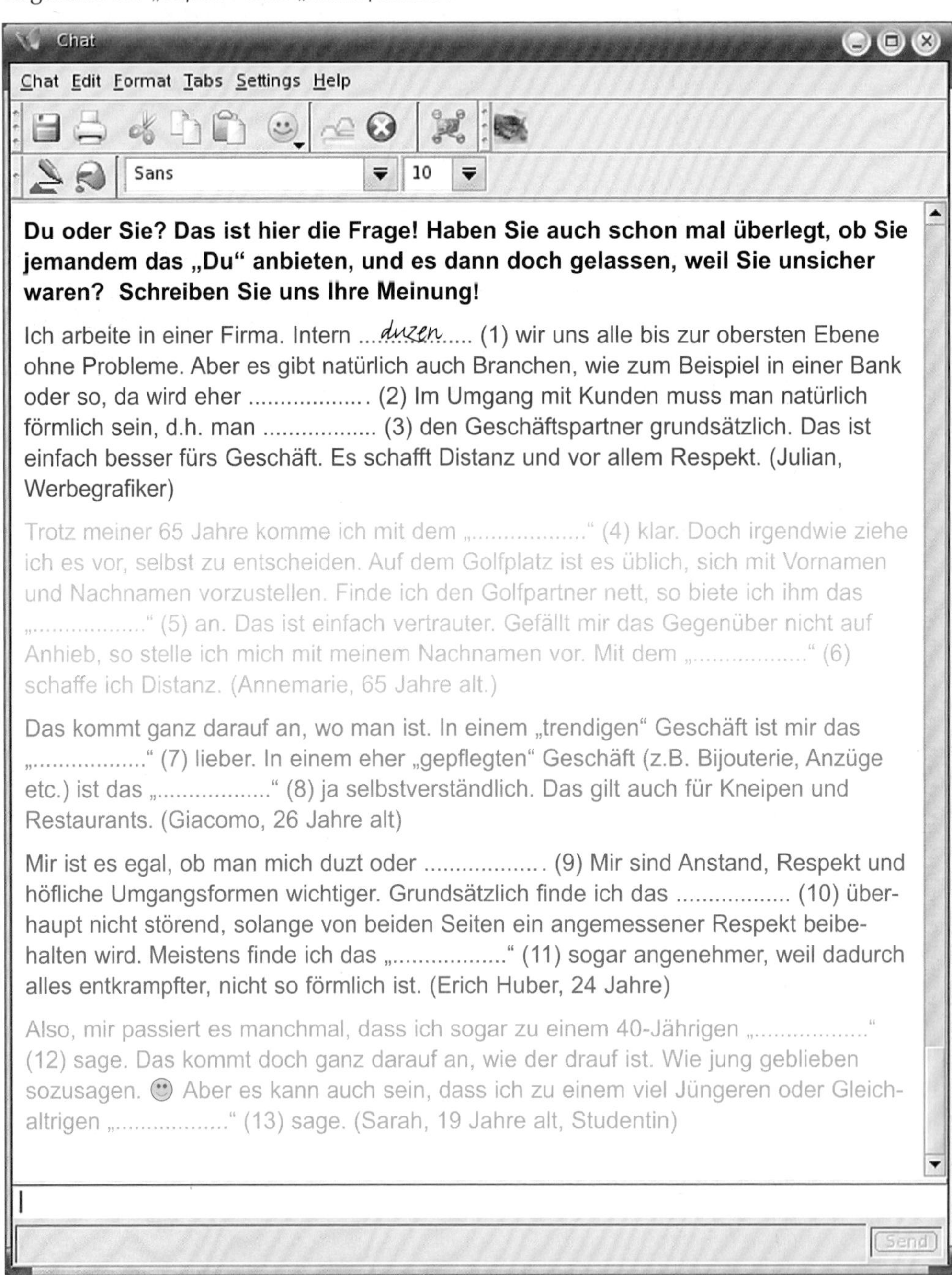

Du oder Sie? Das ist hier die Frage! Haben Sie auch schon mal überlegt, ob Sie jemandem das „Du" anbieten, und es dann doch gelassen, weil Sie unsicher waren? Schreiben Sie uns Ihre Meinung!

Ich arbeite in einer Firma. Intern ...*duzen*..... (1) wir uns alle bis zur obersten Ebene ohne Probleme. Aber es gibt natürlich auch Branchen, wie zum Beispiel in einer Bank oder so, da wird eher .... (2) Im Umgang mit Kunden muss man natürlich förmlich sein, d.h. man .... (3) den Geschäftspartner grundsätzlich. Das ist einfach besser fürs Geschäft. Es schafft Distanz und vor allem Respekt. (Julian, Werbegrafiker)

Trotz meiner 65 Jahre komme ich mit dem „.................." (4) klar. Doch irgendwie ziehe ich es vor, selbst zu entscheiden. Auf dem Golfplatz ist es üblich, sich mit Vornamen und Nachnamen vorzustellen. Finde ich den Golfpartner nett, so biete ich ihm das „.................." (5) an. Das ist einfach vertrauter. Gefällt mir das Gegenüber nicht auf Anhieb, so stelle ich mich mit meinem Nachnamen vor. Mit dem „.................." (6) schaffe ich Distanz. (Annemarie, 65 Jahre alt.)

Das kommt ganz darauf an, wo man ist. In einem „trendigen" Geschäft ist mir das „.................." (7) lieber. In einem eher „gepflegten" Geschäft (z.B. Bijouterie, Anzüge etc.) ist das „.................." (8) ja selbstverständlich. Das gilt auch für Kneipen und Restaurants. (Giacomo, 26 Jahre alt)

Mir ist es egal, ob man mich duzt oder .... (9) Mir sind Anstand, Respekt und höfliche Umgangsformen wichtiger. Grundsätzlich finde ich das .... (10) überhaupt nicht störend, solange von beiden Seiten ein angemessener Respekt beibehalten wird. Meistens finde ich das „.................." (11) sogar angenehmer, weil dadurch alles entkrampfter, nicht so förmlich ist. (Erich Huber, 24 Jahre)

Also, mir passiert es manchmal, dass ich sogar zu einem 40-Jährigen „.................." (12) sage. Das kommt doch ganz darauf an, wie der drauf ist. Wie jung geblieben sozusagen. ☺ Aber es kann auch sein, dass ich zu einem viel Jüngeren oder Gleichaltrigen „.................." (13) sage. (Sarah, 19 Jahre alt, Studentin)

zu Seite 52, 7

9 Vertauschte Satzteile → GRAMMATIK

Stellen Sie Haupt- und Nebensätze um.
Beispiel: Es ist mir eine Ehre, Sie heute hier begrüßen zu dürfen.
Sie heute hier begrüßen zu dürfen, ist mir eine Ehre.

a Es fällt mir nicht leicht, vor so vielen Leuten eine Rede zu halten.
b Es ist schwierig, eine Rede gut aufzubauen.
c Es war mir wirklich ein Vergnügen, Ihnen zuzuhören.
d Es ist ganz leicht zu erklären, warum die Deutschen so gerne reisen.
e Es ist doch klar, dass Bier ein typisch deutsches Getränk ist.
f Es ist durchaus möglich, dass Andreas heute Abend nicht kommt.

zu Seite 52, 7

10 *es* als Pronomen → GRAMMATIK

Ergänzen Sie die Sätze und benutzen Sie das Pronomen *es*.
Beispiel: Ich habe das Geld nicht dabei. (morgen zurückgeben) Ich ...
Ich gebe es dir morgen zurück.

a Ist das Auto denn schon fertig? (abholen können) Ja, Sie ...
b Das Buch über Deutschland gefällt mir. (kaufen) Ich ...
c Ich verstehe das Problem nicht. (erklären) Kannst du ...?
d Komisch, dass er nicht gekommen ist. (merkwürdig finden) Ich ..., dass er nicht wenigstens angerufen hat.
e Hättest du das Rätsel lösen können? (leicht sein) Ja, für mich ...
f Tust du das für mich? (dir doch versprochen) Klar, ich ...

4

zu Seite 52, 8

11 *es* obligatorisch oder nicht? → GRAMMATIK

Formulieren Sie die Sätze so um, dass sie nicht mit *es* beginnen.
In welchen Sätzen fällt *es* dann ganz weg?

Beispiele: Es ist wahr, dass die Deutschen viel arbeiten. Dass ...
Dass die Deutschen viel arbeiten, ist wahr.

Es geht mir heute blendend. Heute ...
Heute geht es mir blendend.

a Es geht in dem Artikel um das Thema „Vorurteile". In dem Artikel ...
b Es ist bekannt, dass die Deutschen auf der Autobahn schnell fahren. Dass ...
c Es war mir ein Vergnügen, Ihnen zuzuhören. Mir ...
d Es regnete ununterbrochen. Gestern ...
e Es geschah etwas Unerwartetes. Etwas ...
f Es interessiert mich, was du über die Deutschen denkst. Was ...
g Es klingelte plötzlich an der Tür. Plötzlich ...
h Es freut mich, nach so langer Zeit wieder einmal in Deutschland zu sein. Nach so langer Zeit ...
i Es ist fraglich, ob er mit diesem Vortrag die Zuhörer überzeugen kann. Ob ...
j Es darf hier nicht geraucht werden. Hier ...
k Es tut gut, dich wieder gesund zu sehen. Dich ...
l Es werden 500 Personen zur Eröffnungsfeier erwartet. 500 Personen ...

zu Seite 52, 8

12 *es* als Bestandteil eines verbalen Ausdrucks → WORTSCHATZ/GRAMMATIK

Ordnen Sie die folgenden Ausdrücke den Gruppen zu.

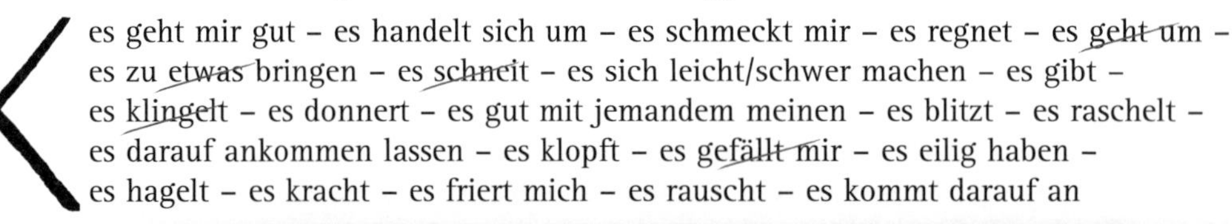
es geht mir gut – es handelt sich um – es schmeckt mir – es regnet – es geht um – es zu etwas bringen – es schneit – es sich leicht/schwer machen – es gibt – es klingelt – es donnert – es gut mit jemandem meinen – es blitzt – es raschelt – es darauf ankommen lassen – es klopft – es gefällt mir – es eilig haben – es hagelt – es kracht – es friert mich – es rauscht – es kommt darauf an

Akkusativergänzung nicht in Position 1	Einführung eines Themas	Persönliches Empfinden	Wetter	Geräusche
es zu etwas bringen	es geht um ...	es gefällt mir	es schneit	es klingelt

zu Seite 53, 1

13 Welches Verb passt? → WORTSCHATZ

Ergänzen Sie das passende Verb in der richtigen Form.

plaudern – flüstern – schimpfen – plappern – schwafeln – nörgeln – grölen

a Die zweijährige Sabine ......plappert...... ununterbrochen.
b Er .... ihr ins Ohr, dass er sie liebt.
c Musst du immer an allem herum.............................? Du bist nie zufrieden.
d Ich bin genauso schlau wie vorher. Er hat in seiner Rede doch nur .... und wirklich nichts Wichtiges erzählt.
e Als er gestern betrunken nach Hause kam, ... er so laut, dass das ganze Haus wach wurde.
f Ich habe mit meiner Freundin über dies und das ....
g Ich habe gehört, wie er furchtbar mit seinem Sohn ....

zu Seite 53, 2

14 Verben des Sagens → WORTSCHATZ

Ergänzen Sie das passende Verb in der richtigen Form.

erklären – erzählen – reden – sprechen – berichten – mitteilen – kommentieren

a Er ....erklärte.................. mir genau, wie das passiert ist.
b In der Zeitung wurde nichts von dem Unfall ....
c Ich freue mich, Ihnen .... zu dürfen, dass der Antrag genehmigt wurde.
d Ich glaube, es ist genug .... worden. Jetzt müssen wir endlich etwas tun.
e Hast du schon mit ihr über dein Problem .... ?
f Wenn er vor dem Fernseher sitzt, muss er immer alles, was er sieht, ...
g Ich muss dir unbedingt von meinem Urlaub ....

zu Seite 53, 3

15 Redewendungen → WORTSCHATZ

Ordnen Sie den Sätzen links die entsprechende Redewendung rechts zu.

Es ist besser, wenig zu sagen, als Unsinn zu reden.	Sie ist nicht auf den Mund gefallen.
Sie sagt nicht direkt, was sie denkt.	Reden ist Silber, Schweigen ist Gold.
Sie redet ununterbrochen, ohne Punkt und Komma.	Sie redet wie ein Wasserfall.
Ihr fällt zu jedem Thema etwas ein.	Sie nimmt kein Blatt vor den Mund.
Sie sagt offen ihre Meinung.	Sie redet um den heißen Brei herum.

1 Gedicht

a) Lesen Sie das Gedicht von Ernst Jandl einmal still.

b) Setzen Sie die Wortgrenzen anders.

c) Lesen Sie nun das Gedicht laut. Wählen Sie dazu die Variante, die Sie origineller finden.

mein teich
sagte ich

sag teer
meinte er

sag teich
meinte ich

sagte er
mein teer

2 Wortgrenzen erkennen

a) Lesen Sie den Text von Regine Weitz leise durch.

b) Schreiben Sie den Text richtig mit Groß- und Kleinschreibung sowie Satzzeichen auf.

c) Tauschen Sie den Text mit Ihrer Lernpartnerin / Ihrem Lernpartner und korrigieren Sie Ihre Texte gegenseitig.

d) *vordemeinschlafen*
ichbohreeinlochindieerdeimmertieferschnurgeradedurchdenerdballundkomme aufderanderenseitewiederherausobdawohlaucheinhausstehtundaucheinerim bettliegtundbohrt Regine Weitz

Lesen Sie den Text laut in der Klasse.

3 Wortgrenzen sprechen

LERNER-CD 10

Hören Sie die folgenden Sätze.
Lesen und sprechen Sie diese Sätze Wort für Wort. Achten Sie darauf, dass jedes Wort einzeln zu hören ist. Klopfen Sie nach jedem Wort einmal leise auf den Tisch.

Transkription

Meine sehr geehrten Damen und Herren,

liebe Mitglieder, Förderer und Freunde unseres Vereins, sehr geehrte Damen und Herren von der Presse. Ich darf Sie recht herzlich zu unserer heutigen Veranstaltung begrüßen und meiner Freude darüber Ausdruck verleihen, dass Sie trotz des schönen Wetters und des gleichzeitig stattfindenden Fußballspiels so zahlreich erschienen sind.
Ich gehe davon aus, dass es ganz in Ihrem Sinne liegt, wenn ich mich bei meiner nun folgenden Rede so kurz wie nur irgend möglich fasse. Denn in der Kürze liegt ja bekanntlich die Würze.

Lernkontrolle: Was haben Sie in dieser Lektion gelernt?

Kreuzen Sie an.

Rubrik	Handlungen	gut	besser als vorher	möchte ich noch vertiefen
Lesen	■ Aktuelle Regeln zum richtigen Verhalten in der deutschen und zentraleuropäischen Gesellschaft kennenlernen.	☐	☐	☐
	■ Merkmale einer Rede erkennen und die Meinung des Redners verstehen.	☐	☐	☐
Hören	■ Einer Unterhaltung zum Thema „Richtiges Benehmen" inhaltliche Aspekte und Meinungen entnehmen.	☐	☐	☐
Schreiben – Produktion	■ Verhaltensregeln in der eigenen Gesellschaft in Form von Testfragen formulieren und mit anderen Kursteilnehmern ausprobieren.	☐	☐	☐
Schreiben – Interaktion	■ Stilmerkmale und Formen der Höflichkeit in formellen Briefen einsetzen.	☐	☐	☐
Sprechen – Produktion	■ Über Situationen berichten, in denen sich andere Menschen unpassend bzw. unhöflich benommen haben.	☐	☐	☐
Sprechen – Interaktion	■ Sich über Begrüßungs- und Umgangsformen in anderen Kulturkreisen austauschen bzw. beraten.	☐	☐	☐
Wortschatz	■ Redewendungen und Sprichwörter zum Wortfeld „Sprechen" differenziert und präzise einsetzen.	☐	☐	☐
Grammatik	■ Das Pronomen „es" in seinen unterschiedlichen Funktionen richtig einsetzen.	☐	☐	☐

Sprechen Sie mit Ihrer Kursleiterin / Ihrem Kursleiter über das Ergebnis. Sie/Er wird Ihnen Tipps zum Weiterlernen geben.

Verben

abtauchen
assoziieren
austricksen
bewerkstelligen
darstellen
eingestehen
erkranken an + *Dat.*
halluzinieren
leiden an + *Dat.*
lockern
missfallen
schieben
sich etwas ausmalen
sich entmutigen lassen
sich festlegen auf + *Akk.*
verdrängen
voraussagen
wahrnehmen
zusammenfassen
zusammenhängen mit + *Dat.*
zwingen zu + *Dat.*

Nomen

die Aggression, -en
die Alarmanlage, -n
die Anspannung, -en
die Auszeit
die Bandscheibe, -n
die Behandlung, -en
die Beschwerde, -n
die/der Betroffene, -n
das Bewusstsein
die Emotion, -en
die Empfindung, -en
die Erkenntnis, -se
das Gedächtnis
die Haltung, -en
die Heilung, -en
die Hypnose, -n
die Intuition
die Massage, -n
die Medaille, -n
der Muskel, -n
das Organ, -e
die Psyche
der Psychiater, -
die Psychoanalyse
der Psychoanalytiker, -
die Psychologie
die Serienausstattung, -en
die Sitzung, -en
die Stimmung, -en
das Symptom, -e
die Therapie, -n
die Überlastung, -en
das Unbewusste
das Unterbewusstsein
die Ursache, -n
das Ventil, -e
die Verspannung, -en
der Verstand
die Verstimmung, -en
der Vorgang, ¨-e
die Vorsorge
die Wandlung, -en
die Wirbelsäule, -n
der Zufall, ¨-e
der Zustand, ¨-e

Adjektive/Adverbien

angestaut
aufwendig
ausgeliefert
begeistert
behutsam
bewusst (un-)
depressiv
empfehlenswert
ganzheitlich
gebückt
genial
gestört (un-)
gütig
kreativ
neurotisch
psychosomatisch
stellvertretend
stolz
therapeutisch
überwiegend
unermüdlich
unterbewusst
unterdrückt
unverfänglich
unzertrennlich
zermürbend

Präpositionen mit Genitiv

abseits
angesichts
anhand
anlässlich
anstatt
aufgrund
infolge
jenseits
mithilfe
mittels

Ausdrücke

den Kampf aufnehmen
einen Aspekt beleuchten
einer Sache eine persönliche Note geben
eine schwarze Seele haben
eine Seele von einem Mensch sein
ein Herz und eine Seele sein
etwas bedrückt mich
etwas ist angesagt
etwas unter verschiedenen Blickwinkeln betrachten
etwas ins Bewusstsein bringen
Hinweise liefern auf + *Akk.*
in Betracht ziehen
in Gang halten
jemandem aus der Seele sprechen
jemandem die Seele aus dem Leib fragen
jemanden übergehen
sich die Seele aus dem Leib schreien
sich etwas von der Seele reden
sich in Einklang fühlen mit + *Dat.*

1

Bildhafte Redewendungen → LERNWORTSCHATZ

Ergänzen Sie die Verben in der richtigen Form.

backen – befreien – brechen – schlagen – finden – haben/bringen – kommen – lassen – setzen – übernehmen

a ....Lass........ den Kopf nicht hängen – so schlimm ist es doch nicht.
b Diese schlechte Nachricht ist mir aufs Gemüt ....
c Er war wirklich erleichtert. Er wirkte wie von einer Last ....
d Dieser letzte Fehler hat ihm das Rückgrat ....
e Ich .... diesen Vorschlag offen gestanden zum Kotzen.
f Ich bin froh, wenn ich diese Aufgabe hinter mir ....
(oder: hinter mich ....)
g Seine Krankheit hat ihn für Wochen völlig außer Gefecht ....
h Sie muss endlich lernen, kleinere Brötchen ....
i Such nur weiter. Das verlorene Stück wird schon noch zum Vorschein ....
j Vielleicht könnte ich eine Zeit lang diese Funktion ....

5

zu Seite 55

2

Fotos beschreiben → WORTSCHATZ

Ergänzen Sie.

Das linke Foto zeigt Boris Becker im Jahre 1986 bei seinem Sieg im Tennisturnier von Wimbledon. Auf dem (1) .... Foto sieht man den Fußballer Uwe Seeler in den Sechzigerjahren nach einer Niederlage. Interessant (2) .... diesen Bildern ist die typische Körperhaltung und was diese (3) .... die Gefühle der Personen aussagt. Psychologen wissen: Unsere äußere Haltung ist ein Spiegelbild (4) .... inneren Zustandes. Die Wirbelsäule übernimmt dabei die Funktion (5) .... zentralen Organs, das Empfindungen auch ohne Worte ausdrückt. (6) .... reißt zum Beispiel der glückliche Gewinner die Arme hoch. Er öffnet sich ganz und gar. Der enttäuschte Verlierer (7) .... lässt die Schultern und den Kopf hängen.

zu Seite 57, 3

3

Vorsilben *ent-*, *miss-* oder *zer-* → WORTSCHATZ

Welche Vorsilbe passt zu jeder Reihe?

a .... decken – lassen – stehen – halten
b .... glücken – fallen – verstehen – trauen
c .... brechen – fallen – setzen – reißen
d .... halten – führen – schließen – werfen
e .... achten – brauchen – deuten
f .... schlagen – schneiden – stören – treten

zu Seite 57, 3

4 Vorsilbe *ent-* → WORTSCHATZ

Bilden Sie Verben mit der Vorsilbe *ent-* und setzen Sie diese in die Satzbeispiele ein.

das Eigentum – das Militär – die Bevölkerung – die Frist – das Gift – die Kriminalität – die Schulden – die Sorge – erben – fremd – scharf

a. Das Problem besteht darin, den radioaktiven Abfall zu ent........................
b. Der Millionär hat seine Tochter einfach ent........................
c. Die ärmeren Länder sollen ent........................ werden.
d. Die Großgrundbesitzer wurden ent........................
e. Die Kriegsparteien können nur durch eine ent................ Zone auseinandergehalten werden.
f. Eine ganzer Landstrich ist ent........................ Es lebt kaum mehr jemand da.
g. Viele plädieren dafür, den Besitz von Drogen zu ent........................
h. Viele Wochenendpendler ent........................ sich von ihren Partnern.
i. Ziel der Kur ist es, den Körper zu ent........................
j. Alle Parteien sind bemüht, den Konflikt zu ent........................

zu Seite 58, 2

5 Genitiv → GRAMMATIK

Markieren Sie die Nomen, die im Genitiv kein *-s* haben.

Bewusstsein – Druck – Emotion – Erkenntnis – Erkrankung – Gedanke – Geist – Heilung – Herz – Körper – Konflikt – Krankheit – Kreativität – Schlüssel – Seele – Stimmung – Unbewusste – Ursache – Verstand

zu Seite 58, 2

6 Genitiv → GRAMMATIK

Ergänzen Sie – wo nötig – die richtigen Endungen.

Träume

a. Wissenschaftler haben die Funktion d*er*........... Träume für die Gesundheit d.............. Mensch.............. untersucht.
b. Wer den Sinn sein................ Träum................ verstehen will, muss erst einmal lernen, sich an seine Träume zu erinnern.
c. Meist hat man die Träume d........... letzt............ Nächt............ vergessen.
d. Ein Traumtagebuch unterstützt die Möglichkeit d......... Erinnerung........ an die Träume.
e. Ein Traum lässt sich anhand dies............. Notizen leichter rekonstruieren.
f. Worin liegt der Sinn ein................. Traumdeutung.................. dies........... Art?
g. Was wir im Laufe ein............... Tag............... erleben, kann in unseren Träumen wiederkehren.
h. Unser Unbewusstes wählt Personen und Situationen aus den Erlebnissen d............ vergangen............. Tag............. aus und verarbeitet diese in den Träumen.
i. Durch das Wiederkehren bestimmt.......... Motive können nach Auffassung der psychoanalytischen Schule unbewusste Wünsche erkannt werden.

zu Seite 58, 2

7 **Formen des Genitivs → GRAMMATIK**

Ergänzen Sie – wo nötig – die richtigen Endungen.

a Die Nationalsozialisten verbrannten die Werke d.es...... Jude........... Freud.
b Dank d............ Hilfe............ einflussreich............ Freunde............ konnte die Familie Freud vor den Nazis nach London fliehen.
c Nach Freud............... Tod 1939 wurde seine Tochter Anna Herausgeberin sein.............. „Gesammelt.............. Werke".
d Anna Freud gilt als wichtigste Theoretikerin d.................. Kinderanalyse.
e Eine Enkelin Freud........ war Psychologieprofessorin in Boston und ist eine Kritikerin d....... klassisch...... Psychoanalyse...... ihr...... Großvater...... .
f Die Autobiografie Esther.............. Freud............., der Tochter d.............. Maler............. Lucian Freud............. und Urenkelin Sigmund Freud........., wurde in dem Film „Marrakesch" verfilmt.

zu Seite 58, 2

8 **Präpositionen mit Genitiv → GRAMMATIK**

Ergänzen Sie die richtige Präposition. Manche Präpositionen können mehrmals eingesetzt werden.

anhand – angesichts – anlässlich – aufgrund/wegen – außerhalb – innerhalb – infolge – mithilfe/mittels – trotz – während – anstatt

a Sie können auch ....außerhalb.............................. der Sprechstunden einen Termin haben.
b .... ihrer Kaufsucht müsste sie unbedingt eine Therapie machen.
c .... einer jahrelangen Behandlung machte er keine Fortschritte.
d .... des Gesprächs lag sie auf der Couch und assoziierte frei.
e Es ist besser, unbekannte Wörter .... eines einsprachigen Wörterbuchs zu erschließen.
f .... eines schweren Unfalls musste die Straße gesperrt werden.
g .... des 50. Jubiläums fand eine große Feier statt.
h Du wirst es .... eines Beispiels besser verstehen.
i .... dieser Tatsachen müssen wir die Verhandlung verschieben.
j .... der erwarteten Zusage kam eine Absage.
k Sie müssen die Schulden .... eines Jahres zurückzahlen.

zu Seite 58, 2

9 **Sätze mit Genitivpräpositionen → GRAMMATIK**

Bilden Sie Sätze.

Beispiel: **Angesichts** – deine Probleme – besser sein – zum Psychologen – gehen
Angesichts deiner Probleme ist es besser, zum Psychologen zu gehen.

a Man – eindringen können – **mithilfe** – Hypnose – Unbewusste – Person
b **Trotz** – Behandlung – sie – in den Griff bekommen – Leben – wieder – nicht
c **Während** – Vortrag – einschlafen – Zuhörer
d **Aufgrund** – seine Intuition – verhindern können – er – Schlimmste
e **Anlässlich** – sein 50. Todestag – Festschrift veröffentlicht werden
f **Mithilfe** – Buch – mir – möglich sein – meine Träume deuten
g Manche Leute – vorhersagen können – **mithilfe** – Träume – Zukunft

zu Seite 60, 7

10 Interview rekonstruieren → LESEN

Ordnen Sie den Fragen des folgenden Interviews mit dem Psychotherapeuten Piero Rossi jeweils die passende Antwort zu.

Fragen	1	2	3	4	5	6
Antworten	D					

Ideale Hilfe für Schüchterne

Psychotherapeut Piero Rossi berät Klienten via Internet

Fragen

1. Psychologische Beratung per Computer – wie sieht das aus: Online-Beratung?
2. Für wen ist Ihre Internet-Beratung geeignet?
3. Verstärkt die Online-Beratung nicht deren Isolation?
4. Ist eine psychologische Beratung ohne persönliches Treffen überhaupt möglich?
5. Wo sind die Grenzen der psychologischen Online-Beratung?
6. Ist nicht auch eine Therapie via Internet möglich?

Antworten

A Ich empfehle sie Menschen, die grundsätzlich lieber schreiben, als über ihre Sorgen zu sprechen. Und allen, die einfach die Anonymität und Distanz brauchen, um ihre persönlichen Probleme einer fremden Fachperson anvertrauen zu können, oder die sehr schüchtern sind.

B Sicher. Das ist ja auch der Fall bei herkömmlichen Briefen. Niemand würde ernsthaft bezweifeln oder hinterfragen, ob ein psychologischer Ratschlag per Brief angemessen sei. Das Fehlen von nonverbalen Signalen behindert nicht das Emotionale und auch nicht das Sich-verstanden-Fühlen. E-Mail-Kommunikation ist der mündlichen Sprache sogar viel ähnlicher als ein Brief. Die sekundenschnelle Übermittlung fördert spontanes und schnelles Schreiben.

C Nein. Für psychotherapeutische Behandlungen ist direkter Kontakt von Angesicht zu Angesicht unerlässlich. Im Rahmen einer Therapie können allerdings beispielsweise ergänzende verhaltenstherapeutische Maßnahmen wie Angst-Tagebücher per Computer übermittelt werden.

D Die Ratsuchenden schicken mir per E-Mail ihre Sorgen und Fragen. Ebenfalls über den Computer erhalten sie nach zwei bis drei Tagen einen psychologischen Rat und gegebenenfalls Adressen und Buchtipps. Bei komplexeren Anliegen unterstütze ich sie dabei, ihre Probleme klarer einzugrenzen. Anschließend werden gemeinsam Lösungswege entwickelt. In diesen Fällen folgt ein längerer Briefwechsel per E-Mail.

E Im Gegenteil. Psychologische Beratung im Netz setzt ja aktives Handeln voraus. Wenn Ratsuchende sich mitteilen wollen, müssen sie ihre Gedanken aufschreiben. Das fördert den Prozess des Erkennens und Verstehens.

F Sie ist ungeeignet, wenn eine Psychotherapie angezeigt ist oder sofortige Hilfe benötigt wird – etwa bei akuten Symptomen wie Panikattacken oder Suizidimpulsen.

zu Seite 60, 7

11 Richtig hören und verstehen → LERNTIPP

Markieren Sie die Tipps, die Sie gut finden. Diskutieren Sie diese in der Klasse.

- ☐ Also beim ersten Hören versuche ich herauszubekommen, worum es bei der Sendung oder dem Interview eigentlich geht.
- ☐ In den Pausen vor dem Hören lese ich nur die Überschriften zu allen Aufgaben-Blöcken. Auf diese Weise kann ich mich auf einige Hauptpunkte des Textes einstellen, bevor ich ihn höre.
- ☐ Nach dem ersten Hören konzentriere ich mich auf die Aufgaben und unterstreiche wichtige Wörter darin.
- ☐ Nachdem ich die Aufgaben gelesen habe, kann ich meistens zwei oder drei Lösungen schon vor dem zweiten Hören aus dem Gedächtnis hinschreiben.
- ☐ Wenn ich den Text in Abschnitten zum zweiten Mal höre, geht das Ankreuzen relativ einfach. Zweifelsfälle markiere ich mir.
- ☐ Am Ende kontrolliere ich dann die Lösungen noch einmal und entscheide mich bei den Zweifelsfällen.

zu Seite 60, 7

12 Hörstrategien → LERNTECHNIK

a Was hat Ihnen beim Verstehen des Hörtextes (Kursbuch Seite 59/60) geholfen? Kreuzen Sie an.

- ☐ die Bilder im Kursbuch
- ☐ die Stimmen der Sprecher
- ☐ die einleitende Szene
- ☐ die Beispiele des Psychoanalytikers
- ☐ die Frage-Antwort-Struktur
- ☐ der umgangssprachliche Stil

b Wo wurden im Text besonders viele Informationen gegeben?

- ☐ gleich am Anfang
- ☐ erst ganz am Ende
- ☐ im Mittelteil

zu Seite 61, 1

13 Fachbegriffe → WORTSCHATZ

Ordnen Sie die Definitionen den Begriffen zu.

die Hysterie	das Vergessen von etwas Unangenehmem oder Peinlichem, das man nicht akzeptieren kann
die Hypnose	Bereich nicht bewusster psychischer Prozesse, der das Verhalten beeinflussen kann
die Traumdeutung	psychische Störung, Aufgeregtheit, Überspanntheit, die sich auch in körperlichen Funktionsstörungen, z. B. Lähmungen, äußern kann
das Unbewusste	schlafähnlicher Zustand, der von einer geschulten Person herbeigeführt werden kann; der Wille wie auch die körperlichen Funktionen sind in diesem Zustand leicht zu beeinflussen
die Verdrängung	Versuch, die Bedeutung von Träumen zu erklären

zu Seite 61, 2

14 Redensarten mit *Herz* → WORTSCHATZ

a Ordnen Sie die Bilder den Redensarten zu.
b Ordnen Sie die Redensarten den Erklärungen zu.

Bild	Redensart	Bedeutung
2	jemandem sein Herz schenken	sich über Kummer aussprechen
	es zerreißt mir das Herz	nach den Gefühlen handeln
	das Herz sprechen lassen	sich verlieben / verliebt sein in
	das Herz schlägt mir bis zum Hals	seinen ganzen Mut zusammennehmen
	da lacht mir das Herz	sehr aufgeregt sein
	sich ein Herz fassen	da freut man sich
	jemandem sein Herz ausschütten	das tut mir sehr weh

zu Seite 61, 2

15 Redensarten mit *Herz – Geist – Seele – Verstand* → WORTSCHATZ

Ergänzen Sie die folgenden Sätze mit *Herz – Geist – Seele – Verstand* und dem Artikel in der richtigen Form.

a Bärbel und Niko passen so gut zusammen. Sie sind ein Herz und eine Seele.
b Eva hat mehr Glück als ……………………………… .
c Hier kannst du alles kaufen, was d……… ……………………………… begehrt.
d Ich war so verzweifelt. Fast hätte ich d……… ……………………… verloren.
e Er schrie sich d……… ……………… aus dem Leib, aber niemand hörte ihn.
f Versprich mir, dass du mich nicht belügst. Hand aufs ……………………… .
g Du verstehst mich wirklich. Du sprichst mir aus d……… ……………………… .
h Meine Mutter ist d……… gute ……………………………… der Familie.
i Es reicht jetzt. Du bringst mich noch um d……… ……………………… .
j Frank ist wirklich ein liebenswerter Mensch. Er hat d……… ……………………… auf dem rechten Fleck.

zu Seite 62, 3

16 Die fetten Jahre sind vorbei → **LESEN**

Sind folgende Aussagen richtig (R) oder falsch (F)?

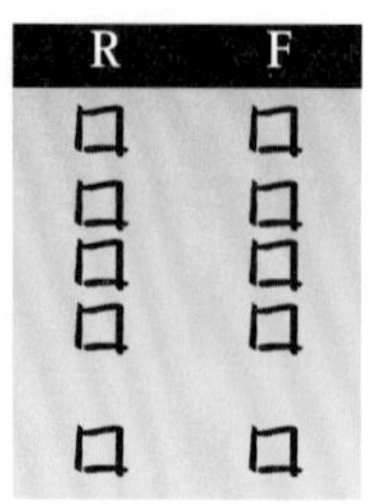

	R	F
Die drei jungen Leute kämpfen für Gerechtigkeit.	☐	☐
Sie stehlen oder zerstören wertvolle Gegenstände in Villen.	☐	☐
Sie glauben, mit ihren Aktionen die Gesellschaft verändern zu können.	☐	☐
Um Geld erpressen zu können, entführen sie schließlich einen Millionär, wissen aber nicht, wohin mit ihm.	☐	☐
Sehr gelungen in dem mit wenig Geld gedrehten Film sind die Dialoge.	☐	☐

Videotipp

DIE FETTEN JAHRE SIND VORBEI

***Regie:* Hans Weingartner – Deutschland/Österreich 2003/2004**
***Darsteller:* Daniel Brühl, Julia Jentsch, Stipe Erceg – *Länge:* 126 Min.**

Jan, sein Freund Peter und dessen Freundin Jule sind drei junge, idealistische Rebellen. Sie haben sich dazu entschlossen, aktiv gegen die Ungerechtigkeiten dieser Welt vorzugehen. Dabei wenden sie ganz eigene Erziehungsmethoden an: Sie brechen in Villen von Reichen ein und verrücken dort Möbel. Durch diesen Affront erinnern sie die vermögenden Besitzer daran, dass diese sich ihrer Sache – der Anhäufung von Luxusgütern auf Kosten anderer Menschen – zukünftig nicht mehr sicher sein können. Damit erzeugen sie gewaltfrei, aber wirkungsvoll Angst. Mit dem Hinterlassen der Botschaft „Ende der fetten Jahre“ wollen sie ein Umdenken in Gang setzen. Als die drei Freunde aber bei einem der Einbrüche von einem Millionär ertappt werden, eskaliert die Situation. Es kommt zu einer unfreiwilligen Entführung – doch was soll nun mit dem Opfer geschehen? Nachwuchsregisseur Hans Weingartner ist einer der besten deutschen Filme der letzten Jahre gelungen, der zu Recht im Hauptwettbewerb beim Festival von Cannes lief. Der Streifen ist mit kleinem Budget gedreht und bietet viel Raum für die Improvisationstalente der Darsteller. Glänzend die Dialoge, die auch ein Stück persönliche Geschichte von Weingartner verraten. Denn er hatte jahrelang selbst (erfolglos) versucht, Teil einer sinnvollen politischen Bewegung zu werden.

zu Seite 63, 2

17 Charakterisieren → **SCHREIBEN**

Beschreiben Sie einen der Schreibtischbesitzer und verwenden Sie dabei einige der folgenden Adjektive.

chaotisch – entscheidungsschwach – gründlich – gewissenhaft – kommunikativ – kreativ – ordnungsliebend – schlampig – systematisch – unsystematisch – zögerlich – verspielt – zuverlässig

Beispiel: *Der Besitzer von Schreibtisch A ist ein ordnungsliebender Mensch. Er liebt es, anderen zu sagen, was sie tun sollen, d.h., er ist entscheidungsfreudig. Er könnte ein Abteilungsleiter bei einer Firma sein.*

1 LERNER-CD 11

Normale oder akzentuierte Betonung?

Transkription

Hören Sie die kurze Szene aus dem Hörtext (Kursbuch Seite 59) und unterstreichen Sie die besonders stark betonten Stellen.

Patientin: Heute ist mir nicht nach Reden zumute. Mir fällt nichts ein, was wichtig wäre.
Psychologe: Wichtig oder unwichtig, darauf kommt es doch gar nicht an.
Patientin: Ich will eben nicht.
Psychologe: Möchten Sie darüber sprechen, warum Sie nicht reden möchten?
Patientin: Ich fühle mich nicht wohl. Es ist immer so ein Druck. Immer wollen Sie, dass ich etwas sage. Immer soll ich etwas leisten! Wollen Sie wirklich wissen, wie es mir geht?

2 LERNER-CD 12

Der wandernde Satzakzent

a Hören Sie, welche anderen Betonungen für die Sätze der Patientin noch denkbar wären. Wie verändert sich die Bedeutung des Satzes? Schreiben Sie die folgenden Sätze an die richtige Stelle.

Aber vielleicht haben Sie Lust dazu. – Gestern hatte ich schon Lust. – Sie fragen doch nur aus Höflichkeit. – Sie interessieren sich doch eher für andere. – Sonst interessieren Sie sich ja auch nicht für mich. – Ich würde ~~lieber~~ etwas lesen.

Betonung	Bedeutung bzw. Ergänzung
Heute ist mir nicht nach <u>Reden</u> zumute.	*Ich würde lieber etwas lesen.*
Heute ist <u>mir</u> nicht nach Reden zumute.	
<u>Heute</u> ist mir nicht nach Reden zumute.	
Wollen <u>Sie</u> wirklich wissen, wie es mir geht?	
Wollen Sie <u>wirklich</u> wissen, wie es mir geht?	
Wollen Sie wirklich wissen, wie es <u>mir</u> geht?	

LERNER-CD 13

b Hören Sie die drei Sätze unten. Ordnen Sie die richtigen Teile zu.

c Lesen Sie die Sätze und betonen Sie dabei das unterstrichene Wort.

Das <u>weiß</u> ich nicht.	Aber frag doch meine Nachbarin hier.
<u>Das</u> weiß ich nicht.	Auch wenn du mir das vorwirfst.
Das weiß <u>ich</u> doch nicht.	Aber ich könnte dir sagen ...

3 LERNER-CD 14

Aussagesätze

Hören Sie die folgenden Sätze und markieren Sie einen fallenden ↓ oder weiterführenden → Satzakzent.
Sprechen Sie die Sätze nach.

↓	→
Du sprichst mir aus der Seele.	Du sprichst mir aus der Seele, wenn du das sagst.
Er hat das Herz auf dem rechten Fleck.	Er hat das Herz auf dem rechten Fleck, denn er ist zu jedem hilfsbereit.
Sie sind ein Herz und eine Seele.	Sie sind ein Herz und eine Seele, obwohl sie sich oft streiten.
Ich träume fast nie.	Ich träume fast nie, außer wenn ich mich nicht wohlfühle.

Lernkontrolle: Was haben Sie in dieser Lektion gelernt?

Kreuzen Sie an.

Rubrik	Handlungen	gut	besser als vorher	möchte ich noch vertiefen
Lesen	■ Einer Reportage über den menschlichen Körper Haupt- und Detailinformationen entnehmen und diese in einer Textzusammenfassung ergänzen.	☐	☐	☐
	■ Biografische Daten zu Sigmund Freud aus einem Lexikonartikel stichpunktartig notieren.	☐	☐	☐
	■ Tipps für mehr Kreativität im Alltag rekonstruieren.	☐	☐	☐
Hören	■ Einem Expertengespräch mit einem Psychologen Informationen und Erkenntnisse entnehmen.	☐	☐	☐
Schreiben – Interaktion	■ In einer E-Mail jemanden zum Thema „Organisation und Zeitmanagement im Alltag" beraten.	☐	☐	☐
Sprechen – Produktion	■ Aufgrund von Fotos Vermutungen über die Charaktereigenschaften von Personen formulieren.	☐	☐	☐
Wortschatz	■ Redewendungen und Sprichwörter rund um die Begriffe „Geist" und „Seele" verwenden.	☐	☐	☐
Grammatik	■ Die Formen des Genitivs im Deutschen richtig bilden, sie richtig einsetzen und Präpositionen mit dem Genitiv richtig einsetzen.	☐	☐	☐

Sprechen Sie mit Ihrer Kursleiterin / Ihrem Kursleiter über das Ergebnis. Sie/Er wird Ihnen Tipps zum Weiterlernen geben.

5

LEKTION 1

S. 8/3 1 C; 2 B; 3 A; 4 C

S. 9/4 Die Kurverwaltung gab bekannt: ... Dies ist ein einmaliges Projekt. Proteste erwarten wir nicht. – Die Polizeibeamten meldeten: Ein Einbrecher ist von einem Papagei schwer verletzt worden. Der Papagei versuchte offenbar, das Eigentum seines Besitzers zu verteidigen. Dabei fügte er dem Einbrecher am Kopf blutige Wunden zu. Er selber büßte bei dem Kampf lediglich einige Schwanzfedern ein. Den Diebstahl konnte er jedoch nicht verhindern. – Der Sprecher der Lotto GmbH sagte: Eine 42-jährige Frau, die 1 038 888 Euro gewonnen hatte, meldete sich erst sieben Wochen nach der Ziehung. Sie trug den Spielschein wochenlang ahnungslos in der Tasche. Erst vor wenigen Tagen ließ sie den Spielschein prüfen.

S. 9/5 In der Zeitung wird berichtet, a) es habe fünf Verletzte gegeben; der Notarzt sei unmittelbar nach dem Unfall eingetroffen; die Verletzten seien sofort ins Krankenhaus eingeliefert worden. b) in der Müllerstraße sei eine Bank überfallen worden; der Bankräuber habe entkommen können. c) ein Orkan fege mit 220 km/h über die Kanaren hinweg; mit Schäden werde gerechnet.

S. 10/6 b) bestätigte; c) bezweifle; d) versichere; e) behaupten; f) berichtete; g) mitteilen; h) äußerte; i) betonen; j) erklärt; k) meldete

S. 10/7 b) Nach Aussage des Mannes hat er nichts mit dem Unfall zu tun. c) Einer Meldung des *Berliner Tageblatts* zufolge nimmt die Anzahl der alten Menschen in Deutschland zu. d) Laut (einer) Umfrage ziehen viele Menschen es vor, allein zu leben. e) Nach Mitteilung eines Polizeisprechers wurde ein Drogenring gesprengt. f) Gemäß unserer Vereinbarung haben wir zweimal die Woche eine Sitzung.

S. 10/8 a) Wie ein renommiertes Wirtschaftsmagazin berichtete, steigen die Aktien im kommenden Monat. b) Wie die Polizei mitteilte, wird es bei Ferienbeginn zu erheblichen Problemen auf den Autobahnen kommen. c) Wie der Trainer erklärte, wird der Spieler zu Saisonende den Verein wechseln. d) Wie eine Umfrage ergab, sind nur 18 Prozent der Deutschen sehr zufrieden mit ihrem Leben. e) Wie die Ärzte aussagten, wird er den Unfall überleben. f) Wie die Zeugen angaben, trug der Bankräuber eine grüne Perücke.

S. 11/9 b) ironisch; c) aufgezeichnet; d) beurteilt; e) ausführlich

S. 12/10 [Lösungsbeispiel] Durch eine Tür schleicht sich ein Mann. Er schaut sich um, um festzustellen, ob er beobachtet oder verfolgt wird. Unter dem Arm trägt er eine Tasche. Der Ärmel seiner Jacke ist nach oben gerutscht. Der Mann sieht verdächtig aus. Vielleicht hat er gerade eine Bank überfallen und hat in der Tasche das gestohlene Geld. Er könnte auch ein Spion sein, der möglicherweise wichtige Dokumente erbeutet hat.

S. 14/14 a) samt; b) fern; c) zuliebe; d) Fern; e) zuliebe; f) samt

S. 15/16 a) f, f, r, f, r; b) an meine körperlichen und seelischen Grenzen; entwickelt einen Sog; Mühen und Entbehrungen; unverklärten Detailtreue; der enorme Reiz; sachlich

S. 16/17 Wo finde ich ...? a) im Inhaltsverzeichnis auf S. 3 und im Kursprogramm S. 4; b) unter ‚Wortschatz' auf den lila Seiten im Kursbuch; c) am Ende jeder Lektion; d) unter ‚Lerntechnik' – Wie viele ...? a) zehn; b) 12; c) vier; d) ca. 100 – In welcher Lektion üben wir ...? a) in Lektion 1 und 3; b) in Lektion 2 und 4; c) in Lektion 1 und 2 – Wie sieht der Hinweis auf eine ... aus? a) AB; b) GR; c) P

S. 17/3 a) vergangenen, Autobahn, tödlichen, Unfall, verursacht, 47-Jährige, Deutsche, Angaben, Polizei, Promille, Österreich, Richtung, gefahren, Anschlussstelle, Fahrerin, ausweichen, überschlug, Unfallstelle, Festnahme, leistete, heftigen, Widerstand

LEKTION 2

S. 20/1 abheben (K = Kunde), anlegen (K), ausgeben (K), einzahlen (K), überweisen (K/B = Bank), verfügen (K), Anleger (K), Bargeld, Betrag, Buchung (B), Dauerauftrag (K/B), Einzugsermächtigung (K), Ersparnisse (K), Gebühr (K/B), Geheimzahl (K), Girokonto (K/B), Guthaben (K), Konto (K/B), Kontoinhaber (K), Kontostand (K/B), Online-Banking (K/B), Scheck (K/B), Sparbuch (K), Sparkonto (K), Transaktion (B), Überweisung (K/B), Verzinsung (B), Währung (K/B), Wertpapier (K/B), Zinsen (K/B), bargeldlos (K/B), fällig (K/B), ein Konto einrichten (K) / führen (B) / überziehen (K), einen Betrag überweisen (K/B), ein Konto auflösen (K/B), einen Dauerauftrag einrichten (K/B), einen Kredit abzahlen (K) / aufnehmen (K), elektronisches Kleingeld (K/B), Zinsen erheben (B)

S. 20/2 e) Über eine Abbildung sprechen/Infos geben: Aus dem Schaubild ..., Ähnlich verhält es sich ..., Außerdem ist hier ...; Details benennen: Im Vergleich zu ..., ... unterscheiden sich ..., Ähnlich verhält ..., Außerdem ist hier ..., Andererseits gibt sie ...; Interesse/Erstaunen äußern: Überrascht hat mich ..., Besonders auffällig ...; Vergleiche anstellen: Im Vergleich zu ..., ... unterscheiden sich ..., Ähnlich verhält es sich ...; die eigene Meinung sagen: Meiner Ansicht/Meinung ..., Überrascht hat mich ...

S. 20/3 b) einen Kredit aufnehmen; c) Zinsen bezahlen; d) ein Girokonto eröffnen; e) einen Dauerauftrag einrichten; f) auf ein Sparbuch einzahlt; g) erwerben Wertpapiere

S. 21/4 b) 1 Eine Gebühr, 2 Der Kontostand, 3 Zinsen, 4 Ein Girokonto, 5 Ein Guthaben, 6 Eine Überweisung, 7 Ein Betrag

S. 22/5 1.c, 2.b, 3.d, 4.a, 5.c, 6.d, 7.a, 8.d, 9.c, 10.b

S. 23/6 a) 1 es sei denn, dass / außer, wenn; 2 zu ..., als dass; 3 falls ... nicht / wenn ... auch noch so; 4 Wie ... auch; b) 1 Sandra muss fast jeden Monat ihr Konto überziehen, falls sie keine günstigere Mietwohnung findet / ... überziehen, es sei denn, sie findet eine günstigere Mietwohnung. 2 Herr Siebert schwimmt zwar im Geld, aber die hübsche Maria macht sich nichts draus. / Wenn Herr Siebert auch im Geld schwimmt, die hübsche Maria macht sich nichts draus. 3 Frau Geiziger ist zu habgierig, als dass sie ihr Geld unter die Leute brächte. / Frau Geiziger ist zu habgierig, um ihr Geld unter die Leute zu bringen. 4 Wie praktisch es auch ist, im Internet einzukaufen, ein Teil der Kundschaft nimmt gern den Service im Laden in Anspruch. / Wenn es auch noch so praktisch ist, im Internet einzukaufen, so nimmt doch ein Teil der Kundschaft gern ...

S. 23/7 a) Würden Sie mir vielleicht/mal helfen, den Kinderwagen hochzutragen? b) Du hast ihm doch nichts von meiner neuen Stelle erzählt, oder? c) Weiß Petra denn/eigentlich genau, wie die Couch aussieht und was sie kostet? d) Hättest du vielleicht auch noch so einen Katalog für mich? e) Haben wir das Auto denn/eigentlich schon ganz abbezahlt oder ist da noch etwas offen? f) Herr Meining, hätten Sie vielleicht/mal einen Moment Zeit für mich? g) Wäre es vielleicht/denn möglich, gemeinsam eine Lösung für das Problem zu finden? h) Warum hat er denn/eigentlich allen davon erzählt, dass er Schwierigkeiten mit seinem Vermieter hat? i) Das hat er doch hoffentlich nicht unüberlegt getan, oder?

S. 24/8 a) Das hätten Sie aber früher sagen sollen! b) Darüber haben wir doch schon vor einer Woche gesprochen. c) Sie hätten sich eben früher entscheiden müssen. d) Sie hätten die Dateien ja auch speichern müssen. / Sie hätten die Dateien eben speichern müssen. e) Das ist aber nicht besonders nett. f) Das hast du doch schon letztes Jahr vergeblich versucht.

S. 24/9 1 vielleicht; 2 ja; 3 eigentlich; 4 ruhig; 5 denn; 6 einfach; 7 eben; 8 aber

S. 24/10 a) Mietverhältnis, Haftpflichtversicherung, Anlaufpunkt, Wohngemeinschaft, Nebenkosten, Vermittlungsgebühr
b) Mietverhältnis, Anlaufpunkt, Nebenkosten, Vermittlungsgebühr, Wohngemeinschaft, Haftpflichtversicherung

S. 25/11 [Lösungsbeispiele] a)..., oder ich gehe sofort. b)..., aber sie möchte sie nicht untervermieten. c) Je weiter außerhalb der Stadt man sucht, ... d) ..., sondern auch einen Teil des Geldes fest anzulegen.
e) Er möchte weder eine WG gründen, ... f) ..., als auch eine fremde Wohnung oder ein Zimmer für eine Zeit lang mieten. g) Entweder gibst du mir bis morgen mein Geld zurück, ... h) ..., noch kann sie sich Gartenmöbel kaufen. i) ..., desto schlechter finde ich es. j) Sie hat zwar genug Geld, ...

S. 25/12 informell: b, d, g, h, j, l, m/n, o, q, s - formell: a, c, e, f, i, k, n, p, r

S. 26/13 a) Balanceakt zwischen Freude und Trauer einzuhalten; eine Seltenheit geworden ist; raren filmischen Perlen; ohne falsches Pathos; auf ganzer Linie gewinnen; b) (1) mitgeteilt, (2) verwandelt, (3) vergreift, (4) überschlägt, (5) gehört, (6) zögert, (7) verschwinden, (8) verstecken, (9) befindet

LEKTION 3

S. 29/1 geschmackvoll - geschmacklos - einen guten / keinen Geschmack haben; religiös - unreligiös/areligiös - (k)einen Glauben an eine überirdische Macht haben; schmerzhaft - schmerzlos - etwas tut (nicht) weh; temperamentvoll - temperamentlos/langweilig - viel/wenig/ keine Lebensfreude zeigen; würdevoll - würdelos - mit/ohne Achtung (z.B. vor dem Mitmenschen)

S. 30/2 (1) ebenfalls, (2) allerdings, (3) geht, (4) heißt, (5) vergangenen, (6) Leider, (7) Stattdessen, (8) Über

S. 30/3 Körpersprache - Blickkontakt; Wissen - Beispiele/Hintergrundwissen; Kommunikation - deutlich sprechen; Lösungsweg - Punkt für Punkt; korrigieren - eigene Fehler verbessern

S. 30/4 deutschsprachig = in der deutschen Sprache; mehrbändig = in mehreren Einzelbüchern; empfehlenswert = man kann es jemandem empfehlen; fortgeschritten = auf einem höheren Niveau; hörenswert = es lohnt sich, es anzuhören

S. 31/5 namhaften; zahlreiche; zoologischen; mehrbändige; deutschsprachigen; lesenswert

S. 31/6 b) um: für; c) sie: ihr; d) darüber: daran; e) allein zu leben; f) gönnt sich regelmäßige; g) diese: die; h) interessieren sie wenig; i) aber: sondern; j) Endlich sie genießt: Endlich genießt sie

S. 32/7 [Lösungsbeispiel] ... Mutter geht andauernd ins Kino und isst jetzt alle zwei Tage im Gasthof, und neulich hat sie sich an einem ganz normalen Donnerstag eine Bregg bestellt und hat einen Ausflug gemacht. Dann ist sie doch tatsächlich zum Pferderennen nach K. gefahren. Außerdem war sie schon wieder bei diesem Flickschuster. Dort hat sie angeblich Wein getrunken und Karten gespielt. Weißt Du auch, mit wem sie neuerdings oft zusammen ist? Mit dem schwachsinnigen Küchenmädchen des Gasthofs! Sie scheint mir tatsächlich vollkommen verrückt geworden zu sein.

S. 32/8 (1) verbrachte, (2) immatrikulierte, (3) heiratete, (4) scheiden, (5) brachte, (6) beschäftigen, (7) kam, (8) reiste ... aus, (9) ausgebürgert, (10) emigrierte, (11) erhielt, (12) zog, (13) gründete, (14) starb

S. 33/9 1 ASTHMA, 2 WACKELIG, 3 AUSGEGLICHEN, 4 AUFGEKRATZT, 5 GEHILFE, 6 KEGELN, 7 KOMMUNION, 8 NARREN, 9 STUBE, 10 SCHUSTER, 11 ZWIEBACK, 12 VERKEHREN. Lösung: MACKIE MESSER

S. 33/10 Anrede: Liebe Kolleginnen ...; Einleitung: Ich möchte zunächst ..., Einleitend möchte ich ..., Lassen Sie mich so beginnen ...; Argumentation: Man darf nicht vergessen ..., Hinzu kommt noch ..., Außerdem stellt sich ...; Schluss: Abschließend lässt sich also ..., Am Ende möchte ich ...; Dank an die Zuhörer: Ich danke Ihnen ..., Ich hoffe, Sie/euch ...

S. 34/11 a) freigebige, sparsame; b) nachlässig, sorgfältiger; c) obrigkeitshörig, aufmüpfig; d) bedrückt, ausgelassener; e) individualistisch, konformistisch

S. 34/12 a) [Für „non" gibt es kein Beispiel.] Aussicht: aussichtslos – Blei: unverbleit, bleifrei – Blut: unblutig, blutleer – Interesse: uninteressiert, interesselos – Ergebnis: ergebnislos – Liebe: unliebsam, ungeliebt, lieblos – Ordnung: unordentlich – Organ: anorganisch, unorganisch – Politik: apolitisch, unpolitisch, politikfrei, politiklos – Relevanz: irrelevant, unrelevant – Stabilität: instabil, unstabil – Toleranz: intolerant – Vernunft: unvernünftig, vernunftlos – Vorurteil: vorurteilsfrei, vorurteilslos
b) [Lösungsbeispiele] Dein Plan ist doch ganz aussichtslos! – Dieses Benzin ist bleifrei. – Ich darf mir meine Haare nicht grün färben. Meine Eltern sind absolut intolerant. – Die Verhandlungen waren ergebnislos. – Muss dein Zimmer immer so unordentlich sein? – Die anorganische Chemie ist ein Teilbereich der Chemie. – Ob ich mit ihm gesprochen habe oder nicht, ist irrelevant. – Er muss im Krankenhaus bleiben; sein Zustand ist noch instabil. – Dein Verhalten ist wirklich unvernünftig. – Wir sollten diese Entscheidung ganz vorurteilsfrei treffen.

S. 35/13 durchsetzungsfähig: fähig; sich durchsetzen, die Durchsetzung; kann sich/seine Interessen leicht/gut durchsetzen – geschäftstüchtig: tüchtig; Geschäft; ist geschickt dabei, Geschäfte zu machen – opferbereit: bereit; Opfer; ist bereit, seine eigenen Interessen und Wünsche für jemand anderen zurückzustecken – traditionsverbunden: verbunden; Tradition; legt großen Wert auf Tradition – unternehmungslustig: Lust; etwas zu unternehmen, Unternehmung; unternimmt gern etwas, z. B. geht gern ins Kino/Theater, macht gern Ausflüge – vorurteilsbeladen: beladen; Vorurteil; hat viele Vorurteile – wirklichkeitsnah: nah; Wirklichkeit; entspricht fast genau der Wirklichkeit

S. 35/14 a) enttäuscht, ernüchtert: desillusioniert; gleichgültig: desinteressiert; verwirrt: desorientiert; von Bakterien, Keimen, Schmutz befreit: desinfiziert; zerstörerisch: destruktiv
b) „a": atypisch, asymmetrisch, asozial – „il": illegitim – „in": inakzeptabel – „miss": missvergnügt – „non": nonkonformistisch – „un": untypisch, unsymmetrisch, unsozial

S. 36/15 a) jüngeren; b) lange, besonderen; c) schöne; d) angenehme, fröhliche, lustige; e) anständigen, regelmäßigen

S. 36/16 a) Die meisten Japaner sind fleißig wie die Ameisen. – Italienische Männer lassen sich von ihrer Mutter ein Leben lang verwöhnen. – Viele Franzosen gelten als Patrioten und Frauenhelden. – So mancher Amerikaner besteht darauf, eine Waffe zu besitzen. – Den Bayern sagt man nach, sie seien gemütlich und bierselig. – Viele Rheinländer sind kommunikative Menschen. – Norddeutsche hält man für steif und wortkarg. – Von den Spaniern sagt man, sie seien ein stolzes Volk.– Von Finnen und Russen kann man Schnaps trinken lernen. – Die Türken, so heißt es, rauchen den stärksten Tabak. – Die Schönheit polnischer Mädchen ist sprichwörtlich.

S. 37/17 Besonders gut gefällt mir daran, ... – Damit magst du recht haben, ich finde aber die Problematik, die auf dem Poster links dargestellt ist, ... – Ich bin ganz deiner Meinung, aber wir sollten überlegen, ... – ..., aber im Grunde ist es nicht entscheidend, welches wir nehmen. Von mir aus können wir uns diesmal auf das rechte Poster einigen.

S. 37/18 b) Reaktion auf einen Vorschlag, Alternativ-Vorschlag, Rückfragen, Meinung ausdrücken, Einschränkung, Widersprechen, Kompromissvorschlag

S. 38/19 a) eher negativ: brillant anmutet, einiges an Inhalt verloren geht, auch zentrale Aspekte; b) 2 Er besitzt ... 3 Unter Baldinis ... 4 Also begibt ... 5 Alles um ihn ... 6 Seine wichtigsten ...

S. 39/1 a) Aids, Bikini, Camping, Computer, Demokratisierung, Demonstration, Doping, Drogen, Eiserner Vorhang, Emanzipation, Entsorgung, Faschismus, Fernsehen, Fließband, Flugzeug, Friedensbewegung, Holocaust, Image, Information, Kaugummi, Klimakatastrophe, Kommunikation, Kreditkarte, Manipulation, Mondlandung, Psychoanalyse, Radio, Relativitätstheorie, Satellit, Selbstverwirklichung, Sterbehilfe, Terrorismus, Umweltschutz, Verdrängung, Vitamin, Volkswagen, Weltkrieg, Wende, Werbung, Wiedervereinigung
c) Deutsch: Eiserner Vorhang, Entsorgung, Fernsehen, Fließband, Flugzeug, Friedensbewegung, Kaugummi, (Kredit)karte, Mondlandung, Selbstverwirklichung, Sterbehilfe, Umweltschutz, Verdrängung, Volkswagen, Weltkrieg, Wende, Werbung, Wiedervereinigung – Fremdwörter/Internationalismen: Aids, Bikini, Camping, Computer, Demokratisierung, Demonstration, Doping, Drogen, Emanzipation, Faschismus, Holocaust, Image, Information, Klimakatastrophe, Kommunikation, Kredit(karte), Manipulation, Psychoanalyse, Radio, Relativitätstheorie, Satellit, Terrorismus, Vitamin

S. 39/2 erste Silbe: Alibi, Glosse, Interview – mittlere Silbe: Annonce, Artikel, Computer – letzte Silbe: Architekt, Kriminalität, Kritik, Mathematik, Psychologie

S. 39/3 ersten; ersten; nicht

S. 39/4 c) 2 Professor; 3 Problematik; 4 Programmiererin; 5 Produkt; 6 Probe; 7 Prost; 8 Profil

LEKTION 4

S. 42/2 1 streng; 2 zuvorkommend; 3 unpassend; 4 schnippisch/arrogant, zurückhaltend; 5 angetrunken, peinlich; 6 aufdringlich; 7 rücksichtslos

S. 43/3 a) eine Komödie b) 1 steht das Wasser bis zum Hals; 2 lässt es kalt; 3 er wittert; 4 Zwei Welten prallen aufeinander. 5 sich zusammenraufen

S. 44/6 b) Man sagt, in Japan wird eine Visitenkarte mit beiden Händen genommen und genau studiert. Dann erst wird sie sorgfältig in die Brieftasche gelegt. c) ..., dass der Gast nach einer Einladung nach Hause gebracht wird. d) Angeblich wird in Samoa dem Gast immer ein Sitzplatz angeboten, auch ... e) ... Geschenke sofort ausgepackt werden.

S. 45/7 1A, 2B, 3C, 4C, 5B, 6B, 7B, 8B, 9C, 10A

S. 46/8 a) Es gibt zwar Regeln, aber ... b) (2) gesiezt, (3) siezt, (4) Du, (5) Du, (6) Sie, (7) Du, (8) Sie, (9) siezt, (10) Duzen, (11) Du, (12) du, (13) Sie

S. 47/9 a) Vor so vielen Leuten eine Rede zu halten, fällt mir nicht leicht. b) Eine Rede gut aufzubauen, ist schwierig. c) Ihnen zuzuhören war mir wirklich ein Vergnügen. d) Warum die Deutschen so gerne reisen, ist ganz leicht zu erklären. e) Dass Bier ein typisch deutsches Getränk ist, ist doch klar. f) Dass Andreas heute Abend nicht kommt, ist durchaus möglich.

S. 47/10 a) Ja, Sie können es abholen. b) Ich kaufe es. c) Kannst du es mir erklären? d) Ich finde es merkwürdig, dass er nicht wenigstens angerufen hat. e) Ja, für mich ist es leicht. f) Klar, ich habe es dir doch versprochen.

S. 47/11 a) In dem Artikel geht es um das Thema „Vorurteile".
b) Dass die Deutschen auf der Autobahn schnell fahren, ist bekannt.
c) Mir war es ein Vergnügen, Ihnen zuzuhören. d) Gestern regnete es ununterbrochen. e) Etwas Unerwartetes geschah. f) Was du über die Deutschen denkst, interessiert mich. g) Plötzlich klingelte es an der Tür.
h) Nach so langer Zeit wieder einmal in Deutschland zu sein, freut mich.
i) Ob er mit diesem Vortrag die Zuhörer überzeugen kann, ist fraglich.
j) Hier darf nicht geraucht werden. k) Dich wieder gesund zu sehen, tut gut. l) 500 Personen werden zur Eröffnungsfeier erwartet.

S. 48/12 Akkusativergänzung nicht in Position 1: es sich leicht/schwer machen; es gut mit jemandem meinen; es darauf ankommen lassen; es eilig haben – Einleitung: es handelt sich um; es gibt; es kommt darauf an – Persönliches Empfinden: es geht mir gut; es schmeckt mir; es friert mich – Wetter: es regnet; es donnert; es blitzt; es hagelt – Geräusche: es raschelt; es klopft; es kracht; es rauscht

S. 48/13 b) flüstert; c) nörgeln; d) geschwafelt; e) grölte; f) geplaudert; g) geschimpft hat

S. 48/14 b) berichtet; c) mitteilen; d) geredet; e) gesprochen; f) kommentieren; g) erzählen

S. 48/15 Es ist besser, wenig zu sagen, als Unsinn zu reden: Reden ist Silber, Schweigen ist Gold. – Sie sagt nicht direkt, was sie denkt: Sie redet um den heißen Brei herum. – Sie redet ununterbrochen, ohne Punkt und Komma: Sie redet wie ein Wasserfall. – Sie sagt offen ihre Meinung: Sie nimmt kein Blatt vor den Mund.

S. 49/2 b) Vor dem Einschlafen – Ich bohre ein Loch in die Erde, immer tiefer, schnurgerade durch den Erdball, und komme auf der anderen Seite wieder heraus. Ob da wohl auch ein Haus steht und auch einer im Bett liegt und bohrt?

LEKTION 5

S. 52/1 b) geschlagen; c) befreit; d) gebrochen; e) finde; f) habe/gebracht habe; g) gesetzt; h) zu backen; i) kommen; j) übernehmen

S. 52/2 1) rechten; 2) an; 3) über; 4) unseres/des; 5) eines; 6) So; 7) dagegen

S. 52/3 a) ent-; b) miss-; c) zer-; d) ent-; e) miss-; f) zer-

S. 53/4 a) entsorgen; b) enterbt; c) entschuldet; d) enteignet; e) entmilitarisierte; f) entvölkert; g) entkriminalisieren; h) entfremden; i) entgiften; j) entschärfen

S. 53/5 Emotion, Erkrankung, Heilung, Krankheit, Kreativität, Seele, Stimmung, Unbewusste, Ursache

S. 53/6 a) des/der Menschen; b) seiner Träume; c) der letzten Nächte; d) der Erinnerung; e) dieser Notizen; f) einer Traumdeutung dieser Art; g) eines Tages; h) des vergangenen Tages; i) bestimmter Motive

S. 54/7 a) des Juden; b) der Hilfe einflussreicher Freunde; c) Freuds Tod, seiner „Gesammelten Werke"; d) der Kinderanalyse; e) Freuds, der klassischen Psychoanalyse ihres Großvaters; f) Esther Freuds, des Malers Lucian Freud, Sigmund Freuds

S. 54/8 b) Angesichts/Aufgrund/Wegen; c) Trotz; d) Während; e) mithilfe/mittels/anhand; f) Infolge/Aufgrund/ Wegen; g) Anlässlich; h) anhand/mithilfe/mittels; i) Aufgrund/Wegen; j) Statt; k) innerhalb

S. 54/9 a) Man kann mithilfe der Hypnose ins Unbewusste einer Person eindringen. b) Trotz der Behandlung hat sie ihr Leben nicht wieder in den Griff bekommen. c) Während des Vortrags sind die Zuhörer eingeschlafen. d) Aufgrund seiner Intuition konnte er das Schlimmste verhindern. e) Anlässlich seines 50. (fünfzigsten) Todestages wurde eine Festschrift veröffentlicht. f) Mithilfe des/dieses Buches ist es mir möglich, meine Träume zu deuten. g) Manche Leute können mithilfe von Träumen die Zukunft vorhersagen.

S. 55/10 2 A; 3 E; 4 B; 5 F; 6 C

S. 56/13 die Hypnose: schlafähnlicher Zustand, ... - die Traumdeutung: Versuch, die ... - das Unbewusste: Bereich nicht bewusster ... - die Verdrängung: das Vergessen ...

S. 57/14 a+b) es zerreißt mir das Herz: das tut mir sehr weh, Bild 6 - das Herz sprechen lassen: nach den Gefühlen handeln, Bild 1 - das Herz schlägt mir bis zum Hals: sehr aufgeregt sein, Bild 7 - da lacht einem das Herz: da freut man sich, Bild 4 - sich ein Herz fassen: seinen ganzen Mut zusammennehmen, Bild 3 - jemandem sein Herz ausschütten: sich über Kummer aussprechen, Bild 5

S. 57/15 b) Verstand; c) das Herz; d) den Verstand; e) die Seele; f) Herz; g) der Seele; h) die ... Seele; i) den Verstand; j) das Herz

S. 58/16 R, F, R, F, R

S. 59/1 betont: zumute, wichtig, will, wohl, Druck, Immer, sage, Immer, leisten, geht

S. 59/2 a) Aber vielleicht haben Sie Lust dazu. - Gestern hatte ich schon Lust. - Sonst interessieren Sie sich ja auch nicht für mich. - Sie fragen doch nur aus Höflichkeit. - Sie interessieren sich doch eher für andere. b) Das weiß ich nicht. Auch wenn du mir das vorwirfst. - Das weiß ich nicht. Aber ich könnte dir sagen ....

S. 59/3 Fleck↓ Fleck→; Seele↓ Seele→; nie↓ nie→

QUELLENVERZEICHNIS